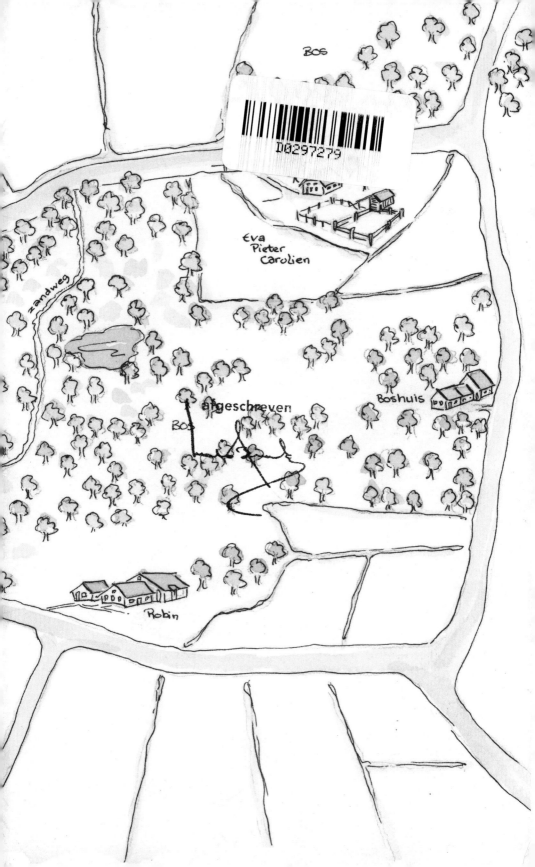

BOS

D0297279

Eva
Pieter
Carolien

zandweg

Boshuis

afgeschreven

BOS

Robin

Funny wint

Evelien van Dort

Met illustraties van
Stien Huisman

Openbare Bibliotheek
Banne Buiksloot
Ankerplaats 18
1034 KC Amsterdam

Callenbach

Eerder verschenen:
Funny in galop
Funny in het bos
Funny en Pluk
Funny viert feest

Omslagillustratie en illustraties binnenwerk Stien Huisman
Omslagontwerp Hendriks.net
Layout/dtp Gerard de Groot
ISBN 978 90 266 1468 2
NUR 282/283
Leeftijd 8-12 jaar

Alle rechten voorbehouden. Niets uit deze uitgave mag worden verveelvoudigd, opgeslagen in een geautomatiseerd gegevensbestand, of openbaar gemaakt, in enige vorm, of op enige wijze, hetzij elektronisch, mechanisch, door fotokopieën, opnamen, of enige andere manier, zonder voorafgaande schriftelijke toestemming van de uitgever.

Inhoud

Voorwoord

Eva woont samen met haar zus Carolien, broertje Pieter, mama en papa en drie Shetlanders in een huis met een tuin. Vanuit haar slaapkamerraam ziet ze de pony's onder het afdak, in het weitje of in de rijbak staan. De rijbak is een met een houten hek afgezet stuk zandgrond waar ze paardrijden. Zodra Eva de gordijnen openschuift, hinnikt haar pony. Het is een bruine pony met lichtbruine manen en staart en ze heet Funny.
Bloemen zijn Funny's lievelingseten. De pony rukt bloemen met stengel en al uit de grond.
Pieters pony heet Bontje, de pony is bruin met witte vlekken. De pony van Carolien, Sneeuw, is wit en haar veulen heet Plukje Prins.
Eigenlijk heet het veulen Prins Pluk, maar Eva draait het altijd om of noemt hem gewoon Pluk. Het veulen is bruin met zwarte manen en lijkt een beetje op een speelgoedpony, zo klein en schattig. Nu zou Pluisje een betere naam zijn. De donzige nestharen vallen uit en het veulen ziet er met zijn pluizige vacht nogal slordig uit.
Natuurlijk is en blijft Funny de liefste pony van de hele wereld. Gewoon omdat ze Eva's pony is.

1. De boswachter rijdt op een paard

'Sta stil, pluizebol,' zegt Eva. Ze probeert de rug van Pluk te borstelen. Het veulen springt opzij en hapt naar de borstel. 'Afblijven, Pluk!' Eva legt de borstel in de poetskist en doet het deksel snel dicht.
Ze kriebelt zijn oren en strijkt met haar hand de pluizige vacht glad. Pluk blijft een paar tellen stil staan. Het snuffelt aan haar arm. Het veulen wil alles onderzoeken.
'Je hebt een kietelneus,' zegt Eva.

Pluk duwt zijn snuit tegen Eva's rug.
'Wil je spelen?' vraagt Eva. Ze aait over zijn hals en zingt: 'Plukje moet naar bed toe, ook al ben je nog niet moe. We gaan rijden in het bos en daar mag je nog niet los.'
Eva lokt Pluk met een ponykoekje de stal in en doet de deur goed dicht. Het veulen hinnikt opgewonden. Sneeuw, zijn moeder, antwoordt met een geruststellende hinnik.
Carolien en Pieter hebben de pony's uit de wei gehaald.
'Ik heb echt zin in een ritje,' zegt Carolien.
Ze heeft een paar maanden niet op haar pony gereden omdat Sneeuw voor haar veulen moest zorgen. Carolien mocht wel met de ponyles meedoen op het paard van juf Roos. Juf Roos is de instructrice bij Ponyclub de Bosruiters. Deze week rijdt Carolien

weer op Sneeuw. Als ze thuis in de rijbak rijdt, kan Pluk met zijn moeder meerennen. Buitenrijden is voor het veulen veel te vermoeiend. Bovendien moet het veulen wennen om zonder moeder te zijn.

Pluk hinnikt in de stal.
'Het gehinnik klinkt zo zielig,' zegt Eva. 'Net of Pluk moet huilen.'
'Ja,' zegt Carolien. 'Hij hinnikt: ik wil mee.'
'Onzin,' zegt Pieter. 'Pluk moet gewoon wennen.'
Eva, Carolien en Pieter zadelen snel hun pony's op en draven over de oprit naar de weg. Mama loopt naar hen toe. 'Margreet heeft net gebeld. Ze neemt het ruiterpad vanaf de andere kant van het bos. Hebben jullie de boskaarten mee en doen jullie voorzichtig?'
'Ja en ja,' antwoordt Eva. Ze voelt in de binnenzak van haar bodywarmer naar het plastic hoesje van de boskaart. Sinds de ruiterpaden zijn aangelegd moeten alle ruiters een boskaart hebben om in het bos te mogen rijden. Meneer Dunsel, de boswachter, controleert of de ruiters op de ruiterpaden rijden en een boskaart op zak hebben.
'Dag, veel plezier.' Mama zwaait het drietal uit.
De pony's hebben echt zin in een ritje. Funny maakt gekke sprongetjes en Bontje draaft een stukje vooruit. De hoefijzers klikken vrolijk over de weg. Bontje draagt hoefijzers omdat hij vaak voor de ponywagen loopt.
Carolien en Eva rijden met hun pony's niet over de weg maar door het gras. Dat is beter voor de hoeven. Eva voelt de warme wind langs haar wangen strijken.

's Avonds buitenrijden vindt ze heerlijk.

Het is stil op de weg. De zon geeft gekke lange schaduwen op de straat. Carolien probeert met haar zweepje de schaduw van Eva aan te tikken. Eva laat haar pony harder lopen, zodat het net niet lukt.

Bij de ingang van het bos wacht Pieter op zijn zussen. 'Werkt de boswachter ook na zes uur?' vraagt hij.

Carolien haalt haar schouders op. 'Het bos is geen winkel die om zes uur sluit. Hoezo?'

'Elke keer hetzelfde rondje rijden vind ik saai,' antwoordt Pieter. 'Ik ken iedere boom en struik langs het ruiterpad.'

Carolien kijkt op haar horloge. 'Het is half zeven,' zegt ze. 'Ik denk dat boswachter Dunsel aan het eten is.'

'Laten we verstoppertje doen,' zegt Eva. 'Jullie tellen tot twintig en gaan me dan in het bos zoeken.'

Voordat Carolien en Pieter kunnen antwoorden, is Eva tussen de bomen verdwenen. 'Hup, Funny,' zegt ze en geeft haar pony een tikje met de zweep. Funny draaft stevig door. Eva slaat de ene keer linksaf en dan weer rechtsaf. De grond van de wandelpaden is lekker stevig en dat rijdt veel fijner dan het mulle zand op het ruiterpad.

Eva buigt zich voorover en fluistert: 'Ik voel me fijner dan een vogel en lichter dan een vlinder en vrolijker dan een bloem.' Alleen tegen haar pony kan ze zulke dingen zeggen. Na een tijdje stuurt Eva haar pony van het pad af en blijft tussen de bomen staan. Het bos is zo groen dat ze niet ver vooruit, links of rechts kan kijken. Zelfs boven haar hoofd hangen takken vol bladeren. Het groen voelt veilig als een grote jas van bladeren om haar heen. Overal fluiten vogels, een hond blaft in de verte. Eva wacht een tijdje. Dan bedenkt ze dat de anderen haar vast niet kunnen vinden... Ze stuurt haar pony verder tussen de bomen door en komt uit op het ruiterpad.

'Goed zo Funny,' zegt Eva en klopt haar pony op de hals. 'We verstoppen ons vlak naast het ruiterpad. Dat is beter. Zo missen we Margreet niet als ze langskomt en kunnen Carolien en Pieter ons ook makkelijker vinden.'

Ze stuurt haar pony van het ruiterpad af en blijft achter een struik staan. Eva hoort het gestamp van hoeven. Funny legt haar oren plat in haar nek en trilt van de schrik. Waarom is haar pony opeens zo bang? Tussen de bomen ziet Eva een groot zwart paard over het ruiterpad naderen. Funny houdt niet van grote paarden. De po.... van schrik een paar passen achteruit.

'Rustig maar,' fluistert Eva en aait Funny door haar manen. De ruiter op het zwarte paard heeft een groene jas aan. Plotseling herkent Eva de man op het paard. Het is meneer Dunsel!

Van verbazing laat ze de teugels uit haar handen trekken. Funny springt achter de struik vandaan en galoppeert over het ruiterpad weg. Eva hoort meneer Dunsel iets roepen, maar ze heeft geen tijd om te kijken. Funny gaat er als een haas vandoor en Eva moet goed opletten dat ze in het zadel blijft zitten.

'Ho maar, rustig maar,' zegt Eva. Funny mindert vaart. De pony draait zijn oren naar voren en hinnikt vrolijk naar zijn vrienden. Verderop ziet ze Margreet

met Carolien en Pieter en hun pony's staan.
'Waar was je toch?' vraagt Carolien. 'We hebben je overal gezocht.'
'D... D... Dunsel te paard,' zegt Eva hijgend.
Drie monden vallen open van verbazing.
'Waar?' wil Pieter weten.
'Op het ruiterpad natuurlijk!'
'Heeft hij je gezien?'
Eva knikt. 'Dunsel riep me. Toen galoppeerde ik weg. Funny is doodsbang voor zijn grote zwarte paard.'
'Ik ben allergisch voor die man,' zegt Margreet.
'Hij achtervolgt ons overal,' moppert Carolien.
'Een boswachter te paard is niet eerlijk,' vindt Eva.
'We moeten zien te ontsnappen,' zegt Margreet.
'Dan kunnen we niet meer op de ruiterpaden rijden,' zegt Pieter grijnzend. 'Want Dunsel controleert de ruiterpaden.'
'Logisch,' zegt Margreet. 'Als we hem niet zien, ziet hij ons ook niet.'
'Maar hij heeft Fun en mij al gezien,' protesteert Eva.
'Dan is het extra spannend,' vindt Pieter. 'We maken twee teams en rijden dwars door het bos, zonder dat Dunsel ons ontdekt. Als een van ons de boswachter ziet, krijgt dat team een punt.'
'Yes,' roept Margreet. 'Eva en ik gaan samen rijden. Onze pony's zijn gek op elkaar.'
'Oké,' zegt Carolien. 'Om acht uur zien we elkaar weer bij de slagboom!'
Ze rijdt met Pieter het bos in.
'Het winnende team krijgt een zak spekjes,' roept Margreet over haar schouder.

2. Twee teams op jacht

Margreet en Eva stappen naast elkaar over een wandelpad door het bos.
'Kan de boswachter goed paardrijden?' vraagt Margreet.
'Ik heb geen idee,' antwoordt Eva. Ze maakt de teugels op maat en draaft aan.
'Kom, we gaan een punt scoren.'
'Ik vind het leuk eng,' zegt Margreet. Ze voelt van de spanning een vage kriebel in haar buik. Eva en Margreet rijden naast elkaar over het smalle pad. Midden op het bospad loopt een bruin hondje. Eva ziet het hondje pas als ze vlakbij zijn. Ze kan haar pony nog net om het beestje heen sturen. 'Kijk eens uit,' roept de bazin boos. De vrouw staat ook midden op het pad en springt aan de kant voor de pony's. 'Paardrijden op de wandelpaden is verboden,' roept ze de kinderen na.
Eva stuurt Funny het bos weer in. Margreet volgt haar. 'We zijn toch al in overtreding,' zegt ze. 'Of we over een wandelpad of dwars door het bos rijden, maakt niet uit.' Na een tijdje kruisen ze het ruiterpad weer.
Eva en Margreet houden halt en kijken naar links en naar rechts.
'De boswachter is nergens te zien,' zegt Margreet teleurgesteld.
'We stappen een stukje over het ruiterpad,' stelt Eva voor. 'Dan hebben we best kans om te scoren.'

'Het is wel gevaarlijk,' zegt Margreet.

'Er nadert iemand op het ruiterpad,' fluistert Eva. Ze hoort gedreun van hoeven en gesnuif van een paard. 'Snel, we verstoppen ons.' Margreet en Eva sturen hun pony's van het ruiterpad af. Tussen de bomen door zien ze het zwarte paard van boswachter Dunsel aankomen. Het dier snuift en briest opgewonden. Funny legt haar oren weer plat in haar nek. 'Niet hinniken,' fluistert Eva. 'Dan worden we gesnapt.'

Bonk, bonk, bonk, ze voelt haar hart kloppen. Niet omdat ze bang is, maar gewoon omdat het lekker spannend is. Meneer Dunsel kijkt steeds om zich heen, net of hij iets zoekt. Het paard zwaait onrustig met zijn staart.

'Hola, hola,' zegt Dunsel voortdurend om het dier op zijn gemak te stellen. Hij passeert de vriendinnen. In een paar seconden is de boswachter op zijn paard voorbij gereden.

'We hebben dubbele punten verdiend,' zegt Eva giechelend van de spanning.

'De boswachter reed echt vlak langs.'

'Hola, hola,' papegaait Margreet.

Ze sturen Fun en Mik uit de bosjes en vegen de takjes en blaadjes uit hun manen. 'Brave lieverds.' Margreet haalt een koekje uit haar broekzak en geeft het al rijdend aan Mik. De pony is het gewend en draait zijn hoofd naar achter terwijl Margreet zich vooroverbuigt. Fun krijgt ook een koekje, maar laat het vallen.

Ze stappen een stukje over het ruiterpad. Opeens blijft Funny stokstijf staan. Eva drijft met haar benen

en geeft haar pony een tik.'Schiet op, doorstappen.'
Maar Funny luistert niet. De pony wil niet meer verder lopen.
'Stop,' zegt Margreet.
'Ik sta toch al stil.'
'Het zwarte paard moet vlakbij zijn,' zegt Margreet op een geheimzinnige toon. 'Funny heeft het wel door en wij nog niet. De boswachter staat ons om de bocht van het pad op te wachten.'
'Slimmerd,' zegt Eva en klopt haar pony op de hals. De vriendinnen draaien om en rijden terug naar de ingang van het bos. Funny loopt weer lekker door.
'Dat was nog een halve punt,' zegt Margreet. 'Alleen Funny heeft de boswachter gezien.'
'Dan staan we op twee en een half,' zegt Eva.
Na een tijdje halen ze Carolien en Pieter in.
'Hoe ging het?' vraagt Pieter.
'Super,' antwoordt Eva. 'We hebben twee en een halve punt.'
'We hebben Dunsel maar een keer gezien. Het was heel link!' zegt Pieter.
'Dan staan we bijna gelijk,' zegt Margreet.
'Wat zegt hij tegen zijn paard?' vraagt Eva ter controle of ze hem echt van dichtbij gezien hebben.
'Hola, hola,' antwoordt Carolien lachend.
'Hoe komen jullie aan twee en een halve punt?'
'We hebben de boswachter een keer gezien en Funny heeft het paard twee keer gezien,' antwoordt Eva. 'Funny stond opeens stil en klapte haar oren in haar nek. Net als nu…'
'Dan is Dunsel weer in de buurt en worden we toch nog gesnapt,' zegt Margreet een beetje angstig. Ze

kijken alle vier om zich heen. Waar is de boswachter?

Pieter ontdekt het zwarte paard als eerste. Het dier
staat tussen de bomen. De teugel hangt half over
zijn manen en het zadel zit scheef op zijn rug. Het
paard stapt naar de kinderen toe. Snel laat Pieter
zich van Bontje glijden en duwt de teugels in Eva's
hand.
'Hola, hola,' zegt hij zachtjes en loopt heel rustig
naar het dier toe. 'Hola, waar is je baas?' Het paard
snuift met zijn neus over de grond zodat de teugels

naar voren glijden. Een paard kan in een losse teugel stappen en zijn benen breken, weet Pieter. Hij zakt op zijn hurken en strekt heel langzaam zijn hand uit. Een rare beweging en het paard kan wegspringen.

Pieter pakt de teugel en komt rustig overeind. Hij aait het paard over zijn hals en zegt voortdurend: 'Hola, hola.'

'Goed zo Pieter,' zegt Margreet vol bewondering.

Pieter lacht zijn brede grijns. Het paard blijft rustig staan. In de buurt van zijn soortgenoten voelt het dier zich al een stuk prettiger.

'Waar is meneer Dunsel?' vraagt Carolien ongerust.

'Misschien hangt hij aan een boomtak,' antwoordt Margreet giechelend.

'Hij is vast in de struiken gevallen,' zegt Eva.

Op dat moment komt de boswachter uit het bos. Zijn cap staat scheef op zijn hoofd en dorre bladeren plakken aan zijn groene jasje. Pieter reikt hem de teugels aan. 'Alstublieft, hier is uw paard terug.'

Dunsel klopt ter begroeting zijn rijdier op de hals.

'Wat is er gebeurd?' vraagt Eva nieuwsgierig. 'Bent u gevallen?'

'Eh, nee. Nou ja,' mompelt de boswachter. 'Ik bukte niet snel genoeg voor een laaghangende tak. Mijn paard liep door en ik bleef achter de tak haken.'

'Dan reed u vast niet op de ruiterpaden,' zegt Margreet brutaal.

Deze opmerking schiet de boswachter in het verkeerde keelgat. Zijn vrije hand grijpt in zijn binnenzak waar gewoonlijk zijn bonnenboekje zit. Het paard schrikt van de onverwachte beweging en schiet met zijn hoofd omhoog. Dunsel laat zijn arm weer zakken. Hij wrijft over de paardenneus. 'Met jullie heb ik nog een appeltje te schillen. Wandelpaden zijn geen ruiterpaden. Dat weten jullie best.' Meneer Dunsel probeert op strenge toon te praten. De kinderen kennen hem langer dan vandaag en zien dat hij eerder opgelucht dan boos is. De boswachter duwt zijn cap stevig op zijn hoofd en klopt de bladeren van zijn jasje.

'Nou ja, zand erover,' vervolgt hij. 'Als jullie je voortaan aan de regels van het bos houden, dan laten we het hierbij. Nog bedankt dat jullie mijn paard opgevangen hebben.' Hij schuift het zadel recht en controleert de singel.

'We hebben geen paard zonder ruiter gezien,' zegt Carolien.

'Nee, we zeggen aan niemand dat u eraf gevallen bent. Dat is vet voor...' Margreet slikt snel het laatste woord in.

Boswachter Dunsel geeft hen een knipoog en stijgt op. Hij stapt weg over het ruiterpad.

'Dat was lachen,' zegt Eva. Ze rijden langs de slagboom naar de weg.

'Ik ga gauw naar huis,' zegt Margreet. 'Doeg.'

Ze gaat linksaf naar het dorp. Carolien, Eva en Pieter slaan rechtsaf.

'We moeten ook opschieten,' zegt Carolien met een blik op haar horloge. Eva, Carolien en Pieter zwaaien naar Margreet en de pony's hinniken naar elkaar.

Langs de weg stappen de kinderen achter elkaar. Carolien draait zich om in haar zadel. 'We vertellen thuis alleen over het zwarte paard met meneer Dunsel,' zegt Carolien.

3. Pluk op de boerderij

Zaterdag vindt Eva de allerleukste dag van de week. Dan heeft ze ponyles. Na het ontbijt gaat ze met Carolien de pony's verzorgen. Zodra ze de buitendeur openen, worden ze begroet door luid gehinnik. 'Weten de pony's dat ze naar ponyles gaan?' vraagt Eva.

'Als wij in een goed humeur zijn, hebben de pony's er ook zin in,' antwoordt Carolien. Eva blijft staan en snuift de frisse ochtendlucht op.

Het grasveld is nog nat van de dauw. De eerste zonnestralen doen het gras en de blaadjes van de bomen heel mooi schitteren. Een wit vlindertje vliegt dwarrelend voor hen uit. Telkens strijkt het neer en fladdert weer op.

''s Morgens vroeg lijkt de wereld een beetje nieuw en mooier,' zegt Eva.

Carolien knikt. Ze verheugt zich om Robin weer te zien. Robin rijdt ook bij Ponyclub de Bosruiters.

'Ga je vandaag met Sneeuw naar de les?' vraagt Eva.

'Nee,' antwoordt Carolien. 'Ik mag in de zaterdagles op het paard van juf Roos blijven rijden. Ze zegt dat ik op het paard meer leer.'

'Leuk voor je,' zegt Eva.

De pony's wachten geduldig bij het hek van de wei. 's Nachts mogen ze grazen en overdag staan ze in de rijbak. Daar is meer schaduw en bovendien is de hele dag gras eten niet goed voor Shetlanders en ook niet voor het gras. De wei heeft al kale plekken.

Eva opent het hek en de pony's lopen braaf mee naar de rijbak. Behalve Pluk. Het veulentje springt heen en weer, bokt en steigert.

'Wilde pluizige plukkebol,' moppert Eva.

'Hij verveelt zich,' zegt Carolien.

'Zullen we Pluk meenemen naar Robins boerderij?' stelt Eva voor. 'Dan kunnen de veulens samen spelen. 'Karin is vast blij als ze Pluk ziet.'

'Ja, leuk!' Carolien kijkt haar zus stralend aan. 'We hebben tijd genoeg, de ponyles begint pas om twaalf uur. Ik ga Robin meteen bellen.' Ze rent weg.

Nog voordat Eva de drinkbak met de tuinslang heeft bijgevuld is Carolien al weer terug.

'Robin vindt het een goed plan en mama ook,' zegt ze. Carolien aait het veulen. 'Pluk, je ziet er niet uit. Ik ga eerst die rare losse plukken uit je vacht halen.'

Ze doet het veulen zijn halster om en probeert de kleine te borstelen. Dat valt niet mee, want Pluk staat geen moment stil. Carolien legt de borstel weg. Ze houdt Pluk met een hand vast en trekt met haar andere hand de pluizige haren uit zijn vacht. 'Robin heeft zich met Lotus voor de behendigheidswedstrijd op Drieberg ingeschreven,' vertelt ze.

'Met Lotus,' zegt Eva verbaasd. 'Dat hij dat durft! De pony is nog jong en schrikt van alles.'

Carolien glimlacht en zegt: 'Robin durft alles en daarom is Lotus niet zo bang meer als eerst.'

'Ik weet dat je Robin heel leuk vindt...' zegt Eva lachend. 'Maar je hebt wel gelijk, want als je als ruiter alles durft, hoeft je pony niet bang te zijn.'

Carolien knikt en stopt even met haartjes plukken.

'Lotus durft ook in de trailer,' gaat Carolien verder. 'Een week lang heeft Robin zijn pony eten gegeven in de trailer en nu loopt hij er gewoon in.'

'De behendigheidswedstrijd lijkt me best eng,' zegt Eva. 'Weet jij hoe het gaat?'

Carolien knikt. 'Het parcours bestaat uit gekke hindernissen, zoals een doolhof en een waterbak. Sara heeft het me verteld. Sara en Tara hebben zich ook ingeschreven.'

'De tweeling gaat vast winnen,' zegt Eva. 'Ze hebben de beste springpony's van de ponyclub.'

'Met een behendigheidswedstrijd gaat het erom dat de ruiter goed en handig met zijn pony om kan gaan,' legt Carolien uit.

'We doen gewoon ons best,' zegt Eva en geeft Funny een kusje op haar neus

Carolien krabbelt Pluk achter zijn oren. 'Zo ben je netjes en heet je weer Prins Pluk. En geen Pluizebol of pluizig Plukkebeest.'

Eva is ook klaar met borstelen. Ze legt het zadel op de ponyrug. Funny blijft keurig staan, zelfs zonder dat ze vast staat. Als Eva de hoeven uitkrabt, weet Funny ook precies in welke volgorde ze haar benen moet optillen.

'Brave pony,' zegt Eva en strijkt door de dikke bos manen.

'Wil je me leren hoe je een vlecht in de manen moet maken?' vraagt ze aan haar zus.

Carolien knikt. 'Kijk, zo.' Carolien pakt drie plukken haar. Ze vlecht een stukje en pakt er weer een pluk haar bij. 'Probeer het maar.'

Eva vlecht verder. 'Het lukt me niet,' zegt ze. 'Funny

ziet er niet uit.' Ze trekt de vlecht weer los.

'Als je van tevoren de manen in gelijke plukken verdeelt,' vertelt Carolien, 'en je doet om iedere pluk haar een elastiekje, gaat het veel makkelijker.'

Pieter loopt naar zijn zussen toe. 'Waarom gaan jullie zo vroeg naar de les?' vraagt hij.

'We gaan met Pluk bij het veulen van de Fjordenpony van Robin langs,' antwoordt Eva.

'We gaan nu echt weg,' zegt Carolien haastig. Ze wil niet dat Pieter ook meegaat. Als ze bij haar vriendje is, wil ze niet dat haar broertje haar voor de voeten loopt.

'Denk niet dat ik met jullie mee wil,' zegt Pieter. 'Ik ga ergens anders naartoe.'

Eva en Carolien zijn wel nieuwsgierig naar wat hij gaat doen, maar vragen niets. Ze weten dat hij dan toch geen antwoord geeft. Omdat hij nooit iets voor zich kan houden vertelt hij het meestal even later vanzelf wel.

Pieter haalt snel een borstel over Bontjes rug.

'Noem je dat poetsen?' zegt Carolien.

'Gelukkig poetst Nina zijn pony vaak,' zegt Eva. 'Anders zou het een verwaarloosd dier zijn.'

'Ik heb met Ben en zijn vader een afspraak,' zegt Pieter. Snel zadelt hij zijn pony.

'Wat leuk,' zegt Eva. Ze weet dat Ben het geweldig vond om met Pieter in de ponywagen te mogen rijden. Ben kan door een verkeersongeluk niet meer lopen en praten. Hij zit in een rolstoel. Ben en Pieter kunnen het goed met elkaar vinden.

'Kom je wel op tijd op de ponyles?' vraagt Carolien.

'No problem,' antwoordt Pieter. 'Het is niet ver.'

Eva op Funny, Pieter op Bontje en Carolien met Pluk aan de hand lopen over de oprit naar de weg. Eva en Carolien gaan linksaf en Pieter wil rechts afslaan naar het Boshuis. Bontje heeft geen zin en loopt een paar stapjes achteruit.

'Pony's zijn kuddedieren,' zegt Eva. 'Bontje wil bij ons blijven.'

'Hup, Bontje.' Pieter geeft zijn pony een tik. Hij trekt aan de teugels.

'Drijven met je benen en iets meer teugel geven,' zegt Carolien.

Pieter drijft en geeft de pony een tik op zijn billen. Bontje stapt verder achteruit de straat op. Pluk hinnikt en rukt aan het touw. Het veulen trapt speels naar Bontje. Funny briest onrustig en dribbelt heen en weer. De twee pony's en het veulen draaien midden op de weg om elkaar heen. Pieter geeft zijn pony nog een flinke tik. Bontje maakt rechtsomkeert en loopt de andere kant op. Pieter wordt kwaad. 'Snertpony,' moppert hij.

'Niet boos worden,' zegt Eva. 'Dat heeft geen zin. Denk aan iets leuks en zing een liedje onderweg.'

Pieter wil zijn pony nog een tik geven maar bedenkt zich. 'Zie ginds komt de stoomboot,' zingt hij en geeft de pony meer teugel. Bontje spitst zijn oren en draaft de goede kant op.

'Zie je wel,' zegt Eva lachend.

'Dag,' roept Pieter opgelucht. 'Tot straks.'

Eva en Carolien naderen de boerderij van Robin. Pluk hinnikt vrolijk en Karin, het veulen van de Fjordenpony van Robin, hinnikt terug. Bij het hek

van de wei maakt Pluk zulke wilde bokkensprongen
dat Carolien de kleine haast niet meer vast kan houden. Robin schiet haar te hulp en laat Pluk in de wei.
Pluk en Karin rennen uitgelaten achter elkaar aan.

Als een lammetje springt Pluk met vier benen tegelijk omhoog. De twee veulens happen naar elkaar en
steigeren en bokken van plezier.
De moeder van Robin komt naar buiten. 'Wat is Pluk
al gegroeid! Echt een schatje,' zegt ze vertederd.
Carolien en Eva kijken elkaar aan. Ze hebben allebei
al heel wat blauwe plekken door die schattige harde
hoefjes opgelopen.
'Laat je Pluk tot vanmiddag spelen?' vraagt Robins

moeder. 'Ik houd wel een oogje in het zeil.'

'Dat is goed,' zegt Carolien. 'Na de ponyles halen we Pluk weer op.'

'Wil je op onze Fjord naar de les rijden?' vraagt Robins moeder.

'Ja, leuk,' antwoordt Carolien. 'Maar ik heb vandaag les op het paard van juf Roos.'

'Dan zet je de Fjord daar zolang vast.'

'Als je op de pony gaat,' zegt Robin. 'Kunnen we nog een stuk door het bos rijden.'

'Carolien en Robin gaan gauw de pony's opzadelen. Eva wacht zolang met Funny aan de hand.

'Hoe gaat het op school?' vraagt Robins moeder.

'Goed,' antwoordt Eva kortaf. Ze heeft geen zin om op zaterdag over school te praten.

'Hebben jullie al plannen voor de zomervakantie?'

'Ja,' antwoordt Eva enthousiast. 'We willen een trektocht gaan maken met de pony's. Pieter gaat mee met de ponywagen en vervoert de bagage. We moeten nog een route bedenken.'

'Wat leuk,' zegt Robins moeder. 'Hoeveel kilometer kan je op een dag afleggen?'

Eva denkt even na. 'Onze pony's kunnen ongeveer vier uur per dag rijden. Als we stappen, draven en galopperen afwisselen, rijden we wel vijf kilometer per uur.'

'Dat is dan twintig kilometer op een dag,' zegt Robins moeder.

'Volgende week hebben we een paar dagen vrij,'zegt Eva. 'Dan gaan we een bosrit maken en de afstand uitrekenen.'

4. Eva vindt een hondje in het bos

Robin zit op zijn nieuwe pony Lotus en Carolien rijdt naast hem op de Fjordenpony. Eva op haar Shetlander voelt zich maar een kleintje naast de twee grote pony's. Ze moet Funny telkens laten draven om de twee bij te houden.

'We hebben de boswachter op een zwart paard in het bos gezien,' zegt Eva.

'En, je raadt het nooit...' vertelt Carolien lachend. 'Dunsel is eraf gevallen. Pieter heeft zijn paard gevangen. De boswachter stond echt voor paal. We hebben hem beloofd dat we het geheim houden.'

'Ik zal het niet verder vertellen,' zegt Robin. 'Jammer dat ik er niet bij was.' Op het ruiterpad draaft Carolien voorop. Robin probeert zijn pony achter haar te houden. Lotus wil het liefst passeren en springt telkens in galop aan. De Fjord voelt de neus van Lotus bij zijn staart en draaft zo hard als ze kan. Eva houdt het tempo niet bij. Bovendien heeft Funny geen zin om op het ruiterpad te blijven. Iedere keer slaat de pony zomaar af en rijdt het bos in. Eva moet een rondje tussen de bomen stappen voordat ze de pony weer op het ruiterpad kan sturen.

'Eigenwijze pony,' moppert Eva. Ze had op de avondrit nooit mogen toestaan dat Funny dwars door het bos liep. Ze heeft het er zelf naar gemaakt... Eva stapt alleen op het ruiterpad. Ze is boos op haar pony en voelt zich een beetje alleen. Robin en Carolien zijn ver vooruit, Eva ziet ze niet eens meer. Opeens springt Funny weer van het pad af. De pony zigzagt tussen de bomen door en draaft steeds dieper het bos in. Ze steekt haar oren naar voren en strekt haar hals uit. De pony heeft het echt naar haar zin.

'Zing een liedje onderweg,' klinkt er in haar hoofd. Eva zingt een liedje en voelt zich op slag vrolijk. Funny heeft gelijk! Dwars door het bos draven is veel leuker dan op het mulle ruiterpad. Ze laat haar pony aan een lange teugel stappen en ziet wel waar ze uitkomt. Het bos is niet zo groot.

Opeens staat Funny stil. De pony heeft iets gezien! Zou het een ree zijn? Eva kijkt om zich heen. Ze ziet tussen de bomen iets bewegen. Zodra ze dichterbij komen, begint het schor te blaffen. Het is een hondje…

Het hondje springt aan een touw heen en weer. Het is vastgebonden aan een boom, zomaar midden in het bos. Eva laat Funny halt houden en kijkt om zich heen. Er is geen mens te bekennen. 'Waar is je baas?' vraagt ze.

Het hondje jankt. Zijn ene oor is naar achter geklapt en zijn andere flappert heen en weer. Fun strekt haar hals en snuffelt. Het hondje is niet bang en geeft de pony een lik over haar neus.

'Wat ben je lief,' zegt Eva. Ze stijgt af en slaat de teugels over Funs hals naar voren. Het hondje springt kwispelend tegen haar op. Om zijn hals zit een rood leren bandje met een nylon touw.

'Waarom zit je hier?'

Het hondje gaat netjes zitten en kwispelt met zijn staart door de bladeren. Hij verstaat dus het woord

'zit', maar geeft haar natuurlijk geen antwoord.
Eva begrijpt dat het hondje helemaal alleen is. Wat
een rotstreek om zo'n lief hondje alleen te laten! Met
moeite krijgt ze de knoop in het touw los. Blij springt
het hondje heen en weer en likt haar handen. Eva
klimt op Funny met het touw stevig in haar hand. Ze
wil zo snel mogelijk terug naar het pad rijden.
Eva legt een knoop in haar teugels zodat ze makkelijker met één hand kan sturen. Toch valt het niet mee.
Soms gaat haar pony rechts om een boom heen en
rent het hondje links langs de boom. Na een tijdje
komt ze uit op het ruiterpad. Funny heeft geen kuren

meer en draaft braaf terug over het pad naar de weg. Het kleine hondje rent met zijn tong uit zijn bek mee.

Aan het einde van het pad zitten Carolien en Robin op een boomstam te wachten. Ze hebben hun pony's vast aan de teugels.

'Waar was je?' vraagt Carolien. 'We zitten hier al een uur.' Niet dat ze het erg vindt met Robin samen.

'Wat heb jij daar?' vraagt Robin.

'Een hondje.'

'Wat een knuffie,' zegt Carolien. 'Waar heb je hem gevonden?' Ze aait het beestje. 'Funny heeft het hondje in het bos gevonden,' antwoordt Eva. 'Hij zat vastgebonden aan een boom.'

'Dan is het een verschoppeling,' zegt Robin. 'Mensen gaan op vakantie en dan is zo'n beest opeens lastig.'

'Wat gemeen,' zegt Eva. Verschoppeling klinkt alsof het hondje heel veel schoppen heeft gekregen. Ze klemt het hondje tegen zich aan. Uitgeput sluit het hondje zijn ogen.

'De ponyles begint zo,' zegt Carolien. 'Het is al tien voor twaalf en ik moet het paard van juf Roos nog opzadelen.' Robin klimt op zijn pony en strekt zijn armen uit. 'Geef maar, ik draag het beestje wel.'

Het hondje is niet gewend om op een paard te zitten en blaft schor. Lotus is niet gewend aan een hond op zijn rug en steigert. 'Ho maar,' kalmeert Robin zijn paard en het hondje. Carolien houdt Lotus even vast zodat Robin het hondje kan pakken. Het beestje legt zijn kop in Robins arm en blijft stil zitten.

Robin, Carolien en Eva rijden een stukje langs de weg en slaan af bij de boerderij van juf Roos.

5. De rijproef

Margreet, Sara, Tara en Pieter stappen al op hun pony's in de rijbak rond. Zodra ze de hond zien wil iedereen het beestje aaien. Wel drie keer vertelt Eva het hele verhaal.

'Ik wil ook een hondje,' zegt Margreet. Ze aait de hond over zijn kopje.

Eva begrijpt haar vriendin wel. Margreet heeft geen zussen of broers en haar moeder werkt de hele dag. Dan is een hondje wel gezellig als je alleen thuis bent.

'Ik weet niet of het hondje kan blijven,' zegt Eva.

'Het is vast een rashond,' zegt Pieter.

'Dat beest stinkt,' zegt Sara.

'Klein mormel.' Tara schudt afkeurend met haar hoofd.

Eva wil iets terug zeggen maar slikt de woorden in. Tara en Sara zijn altijd negatief. Behalve over zichzelf. Eva doet net of ze de flauwe opmerkingen niet heeft gehoord.

Juf Roos vult een bakje water en zet het voor de hond neer. Ze loopt even naar binnen om de dierenbescherming en de boswachter te bellen.

Eva rijdt naast Margreet. Haar vriendin kijkt nors voor zich uit.

'Wat is er?' vraagt Eva. 'Je bent toch niet jaloers?'

'Nee, nee,' antwoordt Margreet.

'Mijn moeder heeft echt geen tijd om een hond uit te laten.' Ze buigt zich een beetje naar Eva toe en fluis-

tert: 'Ze noemen Mik weer een vet puddingbroodje.'
Eva hoeft niet te vragen wie dat zeggen, want alleen
de tweeling maakt zulke flauwe opmerkingen.
'Je bent zelf een mormel,' scheldt Eva zodra Sara in
haar buurt komt.
'Broodje kroket,' antwoordt Tara. 'Rot op.'
'Ik ben geen appel, ik ben geen peer, kan niet rotten
het spijt me zeer,' zingt Pieter vrolijk en trekt een raar
gezicht. Hij heeft iets van de scheldpartij opgevangen. Eva en Margreet moeten lachen, maar Sara en
Tara kijken allebei zo zuur als een groene appel.
Juf Roos stapt de rijbak in. Eva rijdt snel naar haar
toe. Ze is heel benieuwd. 'Het hondje is niet als vermist opgegeven,' zegt juf Roos. 'De boswachter wist
er ook niets van.'
'Mag ik het dan houden?' vraagt Eva.
'Dat moet je met je ouders overleggen,' antwoordt
juf Roos.

'Ik heb jullie allemaal ingeschreven voor de behendigheidswedstrijd op manege Drieberg,' zegt juf
Roos. 'Yes, we gaan winnen,' roepen Sara en Tara
tegelijk.
'Leuk, we nemen onze mascotte mee!' zegt Pieter.
Eva klopt Funny op haar hals. Ze heeft er wel zin in.
Juf Roos legt uit hoe het op de wedstrijd gaat. 'Van
tevoren lopen jullie het parcours,' zegt ze. 'Dan kom
je niet voor onverwachte dingen te staan. Er is ook
nog een dressuurproef. Die rijproef gaan we vandaag oefenen.'
Eva hoort het allemaal maar half. Ze moet de hele
tijd aan de hond denken. Elke keer kijkt ze even door

de omheining. Het hondje ligt uitgestrekt met zijn hoofd op zijn voorpoten te slapen. Wat zullen mama en papa zeggen?

Carolien mag voorop rijden op het grote paard. Robin rijdt er vlak achter en dan volgen Sara, Tara, Eva, Pieter en Margreet. Juf Roos leest de proef voor. 'Bij A afwenden en recht naar de overkant rijden.' Eva vindt rechtuit rijden moeilijk. Funny slingert altijd een beetje. 'Halt houden,' roept juf Roos.
Eva gaat wat dieper in het zadel zitten en houdt haar pony in. Met halt houden mag je niet aan de teugels trekken, weet ze. Dan verzet een pony zich door bijvoorbeeld zijn neus omhoog te steken en dat staat niet netjes. Ze kijkt omlaag of Funny wel netjes vierkant staat. Zo heet het als de ponyvoeten naast elkaar staan.
'Voorwaarts in stap en bij K van hand veranderen. Je pony de hals laten strekken,' zegt juf Roos. Sara geeft haar pony Janneke meer teugel. De pony ontsnapt uit de rij en draaft hard weg. Tara kan haar pony Jip ook niet houden en galoppeert achter Janneke aan. Bij Eva lukt dit onderdeel juist goed. Funny strekt haar hals en loopt braaf door. 'Goed zo Eva,' zegt juf Roos.
Tara en Sara moeten achter aan de rij aansluiten om hun pony's weer rustig te krijgen.
'Net goed,' gniffelt Eva. Dan moet de tweeling maar niet altijd doen of ze de beste zijn.
Aan het einde van de les ziet Eva het groene autootje van meneer Dunsel het erf oprijden. De boswachter stapt uit de auto en loopt naar de rijbak toe. Hij ziet

het hondje in de schaduw liggen. Eva stuurt Funny naar het hek.

'Hallo,' groet ze. 'Is dit de loslopende hond?' vraagt meneer Dunsel.

'Hij liep niet los,' zegt Eva. 'Hij zat vastgebonden aan een boom.'

Carolien en Margreet komen er met hun pony bij staan.

'Iemand is de hond vergeten,' zegt Margreet.

'Nee,' zegt Carolien. 'Als je een hond vergeet dan bind je hem niet vast aan een boom.'

De boswachter aait de hond over zijn kop. 'Vreemd, ik heb het beestje niet eerder gezien,' zegt hij.

Meneer Dunsel blijft nog even staan praten met juf Roos.

Carolien zet het paard op stal en zadelt de Fjorden-pony op, voor de terugweg. Ze rijdt samen met Robin naar de boerderij om Pluk op te halen.

Margreet gaat met Eva en Pieter mee. Ze wandelen met de pony aan de hand, zodat het hondje rustig mee kan lopen.

'We nemen het zandpad,' zegt Margreet. 'Dan zijn we lekker snel thuis. De boswachter zit toch bij juf Roos. Als die twee koffie drinken, nemen ze nog wel een tweede en derde kopje.' Eva en Pieter maken geen bezwaar.

Bij het bos klimt Eva op haar pony. 'Ik ga weer rij-den,' zegt ze. 'Wil je me de hond even geven?' Margreet tilt het beestje op. Eva probeert de hond net als Robin vast te houden. Maar het beestje springt uit haar armen op de grond. 'De hond heeft lekker geslapen en wil rennen,' zegt Eva.'Ik blijf op Funny zitten en houd hem aan het touw vast.' Het hondje blijft staan en snuffelt tussen de bladeren. Eva houdt haar pony in en wacht even. Opeens rent het hondje weg. Eva kan nog net in het zadel blijven zitten. 'Au,' roept ze. Het touw striemt in haar hand. 'Dit hondje is wilder dan Pluk.'

'Je moet het hondje leren om naast je te lopen,' zegt Margreet lachend.

'Jouw beurt.' Eva geeft haar het touw.

Margreet zegt met een lief stemmetje: 'Braaf, netjes naast lopen. Goed zo.' Een paar tellen loopt het hondje naast haar pony mee. 'Zie je nou wel,' zegt Margreet.

Op dat moment duikt de hond tussen de benen van Mik door. Door de onverwachte beweging glijdt Margreet van haar pony en rolt in het gras. Mik springt over het touw heen. Margreet krabbelt overeind.

'Heb je het touw nog?' roept Eva. Ze is heel bang dat de hond ontsnapt.

'Leuk hondje,' moppert Margreet. 'Mik had zijn benen wel kunnen breken door dat touw.' Ze geeft het touw terug aan Eva en wrijft over haar billen.

'Zal ik het proberen?' Pieter en Bontje staan grijnzend toe te kijken. Als Pieter lacht, lijkt het of zijn pony ook lacht.

'Waarom?' vraagt Eva.

'Omdat ik kleiner ben,' antwoordt haar broertje. Eva mag dit zelf nooit zeggen want dan ontploft Pieter zo'n beetje.

'Misschien is dit wel een voordeel,' zegt Margreet.

'Bontje is kleiner dan onze pony's en daarom is Pieter dichter bij de grond.'

Pieter pakt met zijn rechterhand het touw stevig vast en met zijn linkerhand de teugels. 'Naast,' zegt hij tegen het hondje en geeft een harde ruk aan het touw. Het hondje piept even. 'Doe je wel voorzichtig,' zegt Eva verontwaardigd. Bontje en de hond draven keurig naast elkaar op de zandweg. De hond snuffelt niet, duikt niet onder de ponybenen door en kijkt steeds met vragende ogen omhoog naar Pieter. Zodra hij overgaat in stap is een rukje genoeg om het hondje af te remmen. Zelfs langs de weg loopt het netjes in de berm mee, hijgend met zijn roze tong uit zijn bek. Eva en Margreet rijden achter hen aan.

'Goed zo Pieter,' zegt Eva.

'Hoe doe je dat?' vraagt Margreet.

Pieter kijkt alsof hij een geheim gaat verklappen. 'Gewoon streng zijn. Dat werkt bij mij ook het beste,' antwoordt hij lachend.

6. Peer mag blijven

Eva, Pieter en Margreet rennen met het hondje naar het terras.

'Mama,' roept Eva enthousiast.

'Wat is er aan de hand?' Mama kijkt verbaasd naar het hondje aan het touw. 'Van wie is die hond?'

'Van niemand,' antwoordt Pieter.

Mama begrijpt er niets van. 'Jullie gaan met een veulen weg en je komt met een hondje thuis. Van wie is die hond? Iedere hond heeft een baas.'

'Juf Roos heeft de dierenbescherming al gebeld en de boswachter kende het hondje ook niet,' vertelt Eva in een adem. Ze wil de hond zo graag houden.

'Het is een afdankertje,' voegt Margreet er met een zielig stemmetje aan toe.

Sneeuw tilt haar hoofd op en hinnikt.

'Pluk komt thuis,' zegt Eva. Ze rent met de hond weg en doet het hek open zodat Carolien, Robin en Pluk er door kunnen. Mama loopt met Margreet en Pieter mee naar de stal. Carolien laat Pluk bij Sneeuw. Het veulen springt opgewonden om zijn moeder heen en gaat melk drinken.

'Heeft het hondje zich goed gedragen?' vraagt Robin.

'Ja, ja,' antwoordt Eva gauw. Ze is niet van plan om mama te vertellen dat het hondje niet goed luisterde.

'Eva heeft de hond midden in het bos gevonden,'

zegt Carolien verontwaardigd. 'Ik denk dat de hond gedumpt is,' zegt Robin. Net als mama het hele verhaal heeft gehoord, komt papa thuis.
'Is die hond van huis weggelopen?' vraagt hij.
'Het is geen weggelopen zwerfhond, maar een vastgebonden hond,' zegt Eva een beetje wanhopig.
'Iedere hond heeft een baas,' zegt papa.
'We gaan wat drinken,' stelt mama voor. 'Dan kunnen we rustig over de hond praten.'

Mama schenkt op het terras limonade in en deelt koekjes uit.
'Mogen we alsjeblieft het hondje houden?' vraagt Eva weer. Mama en papa kijken elkaar aan. Dat doen ze altijd als ze niet goed weten wat ze er van moeten denken, weet Eva. Het hondje ligt heel lief met zijn kop op zijn poten te slapen. Misschien voelt het dat hij zich even koest moet houden.
'De hond kan ziek zijn en daarom in het bos zijn achtergelaten,' zegt papa
'We gaan maandag meteen langs dierenarts Van Dijk,' zegt Eva.
'Meneer Van Dijk kent dit hondje misschien wel,' zegt mama. 'Alle honden uit deze buurt worden door hem ingeënt. Een inenting is verplicht.'
Eva schrikt een beetje, want ze wil niet dat iemand het hondje herkent.
'Een hond moet drie keer per dag worden uitgelaten,' zegt mama.
'Als jullie weg moeten, wil ik graag op de hond passen,' zegt Margreet.
Eva knijpt even in Margreets been. Ze zegt het pre-

cies op het goede moment want mama en papa knikken allebei.

'We moeten het gevonden hondje wel aan het dierenasiel doorgeven,' zegt papa. 'Het is geen gevonden voorwerp,' sputtert Pieter tegen.

'Stel dat niemand reageert,' vervolgt papa. 'Dan moet het hondje zolang maar hier blijven. Ik maak alleen geen hondenhek of hondenhok.'

Eva springt van haar stoel en geeft mama en papa een kus.

Carolien, Pieter, Margreet en Robin roepen door elkaar: 'Yes, leuk, te gek, gaaf!'

Het hondje schrikt wakker en blaft mee.

'Leuke waakhond,' zegt Robin en staat op. Hij moet altijd om vijf uur thuis zijn om te helpen op de boerderij.

'Doe je ouders de groeten,' zeggen mama en papa hartelijk.

Carolien loopt mee naar het hek. 'Zullen we nog een keer afspreken?' Haar stem klinkt verlegen.

'Wil je weer met de veulens afspreken,' roept Pieter boven het gekef uit.

'Bemoei je met je eigen zaken,' zegt mama streng.

Margreets mobiel gaat. 'O nee, mijn moeder. Ik ben haar helemaal vergeten te bellen.' Margreet ratelt door de telefoon en raakt niet uitgepraat over de hond.

Pieter en Eva lopen met de hond door de tuin. Eva maakt het touw los van de riem om zijn nek. 'Hij mag overal snuffelen,' zegt ze. 'Het hondje moet zijn nieuwe plek goed leren kennen.'

'Soesje, kom,' roept Pieter. Het hondje reageert niet.
'Snuifje, kluifje...
We moeten achter zijn naam komen,' vindt Pieter. Hij
probeert het opnieuw. 'Kiwi, banaan, appeltje.'
'Het is een hond en geen appel of peer,' zegt Eva.
Opeens kijkt de hond op, komt naar haar toe en gaat
netjes zitten.
'Hij heet Peer,' zegt Pieter. Hij wil de naam meteen
uitproberen.
Eva gelooft er niets van. Het is vast toeval. Bovendien is Peer geen naam. Haar broertje loopt een
stukje de tuin in, Eva wacht en aait het hondje over
zijn rug. 'Peer,' roept Pieter. 'Peer.'
Met korte sprongetjes rent de hond naar Pieter toe
en krijgt knuffels. Eva probeert het ook een keer. Ze
roept Peer en de hond rent naar haar toe.
'Het hondje heet echt Peer,' zegt Eva verbaasd.
Margreet komt juichend naar Eva toe. 'Volgende
week komen Mik en ik logeren,' zegt ze blij. 'Mijn
moeder heeft geen vakantie, ze vond het meteen
goed. Jouw moeder vindt het ook een leuk plan.'
'Tof,' zegt Eva.
Margreet helpt haar vriendin met de pony's verzorgen. Eerst scheppen de meisjes de mest uit de bak.
'We zetten Funny, Bontje, Mik, Sneeuw en Plukje in
de wei,' zegt Eva. 'Straks maken we de stal schoon.'
De pony's lopen netjes achter de vriendinnen aan.
Eva hoeft alleen maar de hekken te openen en te
sluiten. De pony's gaan meteen gras eten. Hap, stap,
hap. Het lijkt net of een stap verder een nog lekkerder graspolletje groeit.
'Dat heb ik met Italiaans ijs,' zegt Eva. 'Als ik mag

kiezen tussen al die verschillende smaken, heb ik achteraf het gevoel dat een ander soort ijs net iets lekkerder zou smaken.'

'Mm... ijs,' zucht Margreet.

Eva en Margreet leunen over het hek en praten over koud ijs. Ze krijgen steeds meer zin in ijs en minder zin in de stal uitmesten.

7. Margreet blijft logeren

'We gaan vandaag een dagje klussen,' zegt papa.
'In de rijbak groeit onkruid, het hek moet nodig geschilderd en de mest kan over het land.'
'Vandaag wil ik naar Ben toe,' zegt Pieter.
'Dan spreek je morgen met Ben af,' zegt papa.
'Hebben we een paar dagen vrij, moeten we werken,' zegt Pieter mopperig.
'En Margreet komt vandaag logeren.' Eva kijkt hem teleurgesteld aan. 'We willen een lange bosrit maken om te kijken hoeveel kilometer onze pony's op een dag afleggen.'
'Margreet kan toch helpen met de klussen,' zegt Carolien.
'Dan zijn we eerder klaar,' zegt Pieter slim.
Eva heeft hem wel door. Pieter is goed in smoesjes verzinnen. 'Jij loopt niet in de weg en je bent ook niet opeens verdwenen omdat Margreet komt helpen.'
Pieter begrijpt dat hij er niet onderuit komt. 'Ik ga de hekken schilderen,' zegt hij gauw.
'En ik ga de rijbak wieden,' zegt Carolien.
'Dan rijden Margreet en ik de mest uit,' zegt Eva met een zucht. 'En we doen de stal. Het is er zaterdag niet meer van gekomen.'
'Dat is prima geregeld,' zegt papa opgewekt.
'En ik ga even met Peer naar de dierenarts,' zegt mama.
'Peer, Peer,' roept Eva. 'Ik ben Peer helemaal vergeten.'

Het hondje komt kwispelend naar haar toe. Eva aait hem over zijn snuit.

'Peer voelt zich hier al helemaal thuis,' zegt Carolien. 'Hij valt niet eens meer op.'

Aan het einde van de dag zijn alle klussen klaar. 'De volgende keer kom ik weer helpen,' zegt Margreet. 'Ik vond het leuk.'

Eva en Margreet lopen met Peer aan de riem naar de pony's in de rijbak.

'Wat vind je van de weidehekken?' vraagt Pieter. Hij zet zijn verfbus neer en kijkt trots rond.

'Je bent zelf ook een beetje bruin,' zegt Margreet. Pieter kijkt naar zijn armen en benen vol bruine vegen.

'Het staat best leuk,' zegt Margreet lachend.

'Wil je ook een likje?' Pieter wil zijn kwast pakken. De kwast ligt niet meer op de verfbus.

'Hé Pluk,' roept Margreet. Verderop staat het veulen met de kwast in zijn bek.

'Gekkerd,' zegt Eva. 'Geef terug.' Ze klimt over het hek van de rijbak en loopt naar het veulen toe. Pluk heeft zin om te spelen. Het veulen galoppeert door de rijbak. Peer blaft vrolijk en springt aan de riem heen en weer. Hij rukt zich los. Pieter probeert de riem te pakken. Hij stoot met zijn voet de bus verf om. Peer loopt door de plas verf en springt tegen Margreet op. Daarna rent Peer naar Eva.

Ze pakt snel de riem. Pieter rent achter Pluk aan en pakt de kwast terug. Een minuutje later kijken ze elkaar verbaasd aan. Margreet heeft bruine vegen over haar armen en twee bruine pootafdrukken op haar benen. Eva is ook bruin in haar gezicht en heeft bruine strepen op haar been.

'Wat zijn jullie bruin,' zegt Pieter. 'Het staat best leuk!'

'Welterusten,' zegt mama. 'Jullie zullen wel moe zijn van al het werken. Niet meer kletsen want het is al tien uur.' Ze sluit zachtjes de deur.

'Wat vond jij het leukste?' vraagt Margreet.

'Peer in bad stoppen,' zegt Eva. 'Peer vond het ook leuk. Hij hapte naar het schuim.'

'Ik vond alles leuk,'zegt Magreet. 'Met de kruiwagen hebben we ook gelachen.'

Ze draait zich om in haar bed.

'Ben jij moe?' vraagt Eva.

'Nee, ik ben helemaal niet moe,' antwoordt Margreet. 'Van het werken word ik juist actief. In de zomer heb ik minder slaap nodig.'

'Het is jammer om in bed te liggen,' zegt Eva. 'In bed doe je niets.'

'We blijven de hele nacht te kletsen,' zegt Margreet.

Ze praten over de pony's, over Sara en Tara met hun flauwe opmerkingen en over de behendigheidswedstrijd op manege Drieberg.

'Moeten we nog oefenen voor de wedstrijd?' vraagt Margreet.

'Van tevoren mogen we zonder pony het parcours lopen,' zegt Eva. 'Alle hindernissen worden heel mooi versierd met felle kleuren en vlaggen. Het zijn geen hoge hindernissen, heeft juf Roos gezegd. De meeste pony's schrikken van vreemde kleuren en vormen en dat maakt het parcours moeilijk.'

'Mik schrikt nergens van. Eindelijk hebben we voordeel met onze Shetlanders,' zucht Margreet voldaan.
'Toch is het gek,' denkt Eva hardop. 'Pony's kijken opzij en niet naar voren want hun ogen zitten opzij van hun hoofd.'
'Daarom moet de ruiter het parcours goed kennen,' zegt Margreet.
'Ja,' zegt Eva. 'De pony vertrouwt op zijn ruiter. Juf Roos zegt dat je met je gedachten aan de andere kant van hindernis moet zijn.'
Ze probeert in haar fantasie over een balk te springen.
'Weet je dat pony's heel goed kunnen ruiken,' zegt Eva. 'Daarom willen ze het liefst vreemde voorwerpen besnuffelen.'
'Misschien heeft Funny het hondje in het bos geroken,' zegt Margreet.

Beneden rinkelt de telefoon. Eva springt uit meteen haar bed. 'Maak je niet zo druk,' zegt Margreet.
'Misschien is het de baas van Peer,' zegt Eva. Ze doet haar slaapkamerdeur open en luistert op de gang. 'Ik zal het even vragen,' hoort Eva. 'Ze zijn nog wakker.'
Eva kruipt snel haar bed in. Even later duwt mama de deur open.
'Slapen jullie al?' vraagt ze.
'Bijna,' jokt Margreet en geeuwt.
'Nina's moeder belde net,' zegt mama. 'Vanmiddag zijn Nina en Lotte naar het zwembad gegaan en ze zijn de ponyles vergeten. Het spijt ze heel erg.'
'Ik ben de ponyles voor Nina en Lotte ook helemaal vergeten.' Eva slaat van schrik haar hand voor haar

mond. 'We waren zo druk aan het werk.'

'Dat komt dan goed uit,' zegt Margreet

'Nina en Lotte willen morgen komen,' zegt mama.

'Gezellig,' zegt Margreet. 'Dan mag Lotte weer op Mik rijden.'

Mama knikt. 'Welterusten, meisjes.' Ze sluit zachtjes de deur.

Carolien heeft de deur van Eva's kamer gehoord. Ze komt even bij de vriendinnen kletsen. 'Zijn jullie ook nog wakker?'

'Ja,' antwoordt Eva. 'Mama had net Nina's moeder aan de telefoon over de ponyles. Ze waren het vergeten. Morgen komen ze ponyrijden.

'Vind je het nog wel leuk om die twee ponyles te geven?' vraagt Carolien.

Eva knikt. 'Nina en Lotte gaan echt vooruit met ponyrijden en ze helpen met de pony's verzorgen.'

'Tot morgen,' zegt Carolien. 'Slaap lekker.'

'We kunnen niet slapen, want we zijn niet moe,' zegt Margreet.

'Ik ben ook niet moe,' zegt Carolien. Ze gaat op de rand van Eva's bed zitten.

'Stel dat Funny niet door het bos was gelopen, wie had Peer dan gevonden?' vraagt Eva. Bij die gedachte krijgt ze een naar gevoel.

'Misschien zitten er nog meer honden vastgebonden,' zegt Margreet. 'Morgen gaan we in het bos naar honden zoeken.'

'Als de boswachter ons buiten het ruiterpad ziet, dan zijn we op zoek naar vastgebonden honden in het bos,' zegt Eva. 'Dat klinkt wel zielig zeg.'

'Waarom gaan we niet meteen,' stelt Margreet voor. 'We hebben nu toch niks te doen en een nachtrit lijkt me best leuk.'

Carolien en Eva kijken elkaar aan. Ze hebben een keer 's nachts buiten geslapen en dat was niet zo super. Krassende uilen, ritselende muizen en vleermuizen hielden hen uit de slaap.

'De maan schijnt en het is niet koud,' zegt Margreet weer. 'Als mijn moeder nachtdienst heeft, staat ze ook midden in de nacht op.'

'We moeten wel een briefje neerleggen,' zegt Carolien. 'Mama en papa moeten niet schrikken als we midden in de nacht weg zijn.'

Eva zit al aan haar bureau en ze schrijft: *Peer uitlaten, we zijn zo terug*. Het lijkt haar een goede smoes.

'We nemen wel wat te eten mee,' zegt Margreet. ''s Nachts krijg ik altijd vreselijke honger. Ik heb nu al trek.'

'Wat doen we met Pieter?' vraagt Carolien.

'Pieter moet mee,' beslist Margreet.

'Je weet niet wat je zegt,' zegt Eva.

'Als Bontje thuis blijft, zal de pony hinniken,' legt Margreet uit. 'En dan worden je ouders wakker.'

'Wil je op de pony naar het bos?' vraagt Carolien verbaasd.

'Ja, natuurlijk,' zegt Margreet. 'Een nachtrit lijkt me juist leuk.'

'We kunnen pas vertrekken als mama en papa slapen,' zegt Carolien.

Ze luisteren naar de geluiden in het huis. De achterdeur gaat open en dicht. Ze horen mama's stem.

Mama laat Peer uit. Daarna horen ze lichten uitklik-
ken en voetstappen op de trap. 'Mama en papa gaan
naar bed,' fluistert Eva.
Een mug verpest bijna het plan. De mug zoemt rond
Eva's hoofd. Van Carolien mag ze het licht niet aan
doen. Eva probeert de mug te vangen door te slaan
als de mug stil zit. Haar wang kriebelt en ze geeft
zichzelf een klap. Even later hoort ze weer zoemen.
Nu wordt Margreet geplaagd door de mug. Ze slaat
om zich heen en raakt Eva. 'Au,' roept Eva.
'Sst, houd je mond,' fluistert Carolien. Ze sluipt naar
de gang. Het is heel stil in huis.
'We gaan,' zegt Carolien.
De meisjes kleden zich snel aan en wekken Pieter. Hij
staat meteen naast zijn bed. Dan ziet hij dat het nog
donker is. 'Hoe laat is het?' vraagt Pieter. 'Midden in
de nacht,' antwoordt Eva.
'We gaan een bosrit maken,' fluistert Carolien. 'Ga je
mee?'
Pieter heeft er wel zin in. Hij kleedt zich snel aan.
Eén voor één sluipen ze de trap af. In de keuken
wachten ze even. Het blijft stil in huis.
Peer houdt zich gelukkig koest. Eva krijgt duizend lik-
jes als ze het touw aan de riem vast maakt. Carolien
heeft een zak verse bolletjes in haar rugzak gestopt.
Ze sluipen met Peer het huis uit.
Iedere struik en boom kent Eva. Toch ziet de tuin er
's nachts anders uit dan overdag. Sommige bomen
lijken groter en dikker, net of er iemand achter staat.
De deur van het schuurtje knarst afschuwelijk hard
als ze de zadels pakken. Vanavond staan de pony's in
de rijbak. De verf van de weidehekken was nog een

beetje nat. Mama wilde niet het risico nemen dat ze ook nog drie pony's in bad moest stoppen. Eva ziet het al voor zich en glimlacht in zichzelf. De pony's staan bij elkaar met hun hoofden naar beneden te dommelen. Sneeuw kijkt als eerste op. Funny snuift en loopt naar Eva toe. 'Lieve pony,' zegt ze. 'We gaan een nachtrit maken.'

Margreet deelt ponykoekjes uit.

Pieter pakt Bontje bij zijn voorpluk. De andere pony's volgen braaf naar de stal waar de zadels liggen.

Een grote ronde maan komt achter een wolk te voorschijn en beschijnt de tuin. Eva ziet haar eigen schaduw in het maanlicht. Grappig, denkt ze. Overdag heeft de wereld kleur en 's nachts alleen vormen.

'Eva, heb je Funny aangesingeld?' vraagt Carolien.

'Ja, eh... nee.' Ze trekt de singel nog een gaatje strakker. Carolien sluit Pluk op in de stal. 'Omdat hij klein en donkerbruin is, kan hij in het donkere bos zoekraken,' zegt ze bezorgd.

8. Een nachtrit

Eva, Margreet, Carolien en Pieter stappen naast elkaar op de weg. Peer loopt netjes naast Pieter aan het touw mee.

'Wat dom dat iedereen slaapt,' zegt Eva. 'Het is 's nachts zo mooi!'

'Ik heb het gevoel dat we de enige op de wereld zijn,' zegt Margreet. Ze vindt de nachtrit best spannend.

'Dan rijden we op een onbewoond eiland,' fantaseert Eva.

'Eigenlijk moeten we een lampje om onze arm dragen,' zegt Carolien. 'Niemand ziet ons op de weg.'

'Onzin,' zegt Pieter. 'Want er is niemand te zien, dus hoeft niemand ons te zien.'

Opeens blijft Bontje staan. Peer blaft opgewonden en trekt aan het touw. Er ligt iets op de weg. Het lijkt op een zwarte bal. Sneeuw en Funny stappen angstig achteruit. Pony's schrikken vaak van elkaar. Alleen Mik blijft nieuwsgierig staan en snuffelt aan de bol.

'Het is een egel,' zegt Margreet. 'Domme egel, wat doe je midden op de weg?'

'Die egel moet nog verkeersexamen doen,' zegt Eva giechelend.

In de verte klinkt het geluid van een auto. De kinderen sturen hun pony's een stukje de berm in. De lichten van de koplampen naderen.

'De egel,' roept Eva angstig. 'Die auto vermoordt de egel.'

Pieter springt van zijn pony en rent naar de weg. Hij

geeft de egel een duw met de zijkant van zijn voet. De egel rolt als een bal van de weg af. Pieter rent terug naar zijn pony. De auto rijdt met een flinke vaart langs.

Eva voelt een rilling van de schrik. Het was maar net op tijd.

'Goed gedaan,' zegt Margreet.

'Ik ben kampioen egelvoetbal,' zegt Pieter stoer.

Peer snuffelt in het gras en blaft. In het schijnsel van de maan zien de kinderen een puntig snuitje met twee zwarte kraaloogjes nieuwsgierig rondkijken.

'Woef,' blaft Peer weer.

'In dierentaal betekent woef wegwezen,' zegt Carolien. Het egeltje heeft het begrepen, rent met zijn korte pootjes door het gras en verdwijnt in de struiken.

'We hebben geluk gehad,' zegt Margreet.

'Hoezo?' vraagt Eva.

'Vier pony's over straat midden in de nacht is wel opvallend.'

'Die automobilist reed zo hard,' zegt Eva. 'Hij heeft ons niet eens gezien.'

'Dan had hij het egeltje zeker niet gezien,' zegt Carolien.

Het bos ligt er donker bij. Tussen de bomen schijnt haast geen maanlicht.

'We blijven op de ruiterpaden,' zegt Carolien. Ze stapt voorop en de anderen volgen. Eva vindt het knap dat Funny niet struikelt in het donker. Toch wel handig om vier benen te hebben!

De pony's krijgen steeds meer zin in de bosrit. Ze

snuiven en briesen. Fun draait vrolijk haar oren naar voren. Het bos is vol geluiden. Een uil roept en een andere uil antwoordt. Het ritselt tussen de struiken. Bij een open plek laat Carolien haar pony stilstaan. In het licht van de volle maan spelen twee konijntjes. Hun witte staartjes lichten op in het donker. Ze spelen tikkertje, rennend achter elkaar aan. Een konijn blijft op zijn achterpootjes zitten en spitst zijn oortjes. De uil roept weer en de konijnen springen weg.

'Zullen we een stukje draven?' vraagt Carolien. Zodra Sneeuw 'draf' hoort is de pony al weg. Met een flink tempo volgen de anderen. Eva heeft geen tijd om op geluiden te letten. Ze moet echt haar best doen om recht in het zadel te blijven zitten. Funny heeft nergens last van. De pony draaft vrolijk over het donkere pad. Aan het einde van het bos komt het ruiterpad bij het zandpad uit.

'We stappen over het zandpad terug,' zegt Carolien. 'Dat is de kortste weg.'

'De boswachter slaapt, dus een bekeuring kunnen we niet krijgen,' zegt Margreet opgewekt. Ze rijden rustig naast elkaar.

Opeens blaft Peer.

'Daar lopen twee mensen,' zegt Eva. Ze ziet in het maanlicht twee mensen op het pad.

'Wie wandelt er midden in de nacht door het bos?' vraagt Carolien.

'Stropers,' antwoordt Pieter.

'De mensen komen naar ons toe,' zegt Margreet.

'Jammer,' zegt Pieter. 'Dan is het vast geen stroper.'

'Ze lopen hand in hand,' zegt Eva.

'Het is volle maan,' zegt Margreet geheimzinnig.

De kinderen houden hun pony's in. Eva vindt het best eng, ze voelt haar hart bonzen. Opeens lijkt de nachtrit wel een beetje dom. Haar ouders vinden het vast niet goed dat ze 's nachts in het bos rondrijden...

'Goedenacht,' klinkt opeens een stem.

'Nee toch,' fluistert Margreet.

'Juf Roos en...'

Eva valt van verbazing bijna van haar pony.

'Dag Bosruiters,' groet meneer Dunsel.

'Wat doen jullie midden in de nacht in het bos?' De stem van juf Roos klinkt een beetje lacherig.

'We zoeken naar vastgebonden hondjes,' zegt Pieter.

'Wat doet u midden in de nacht?' vraagt Margreet.

'We wandelen,' antwoordt meneer Dunsel.

'Weten jullie ouders van deze nachtrit?' vraagt juf Roos.

'Nee,' antwoordt Carolien. 'We wilden ze niet wakker maken.'

'Je kunt het ze beter wel vertellen,' zegt juf Roos.

'Mogen we dan ook zeggen dat we u tegenkwamen?' vraagt Margreet.

'Ja,' antwoordt meneer Dunsel. 'Jullie mogen best weten dat we elkaar heel aardig vinden.'

Juf Roos kijkt hem even aan.

'We gaan weer verder,' zegt meneer Dunsel gauw. 'Anders wordt het zo laat.'

'Dag,' groeten de kinderen en rijden verder.

'Ik wist het allang,' zegt Margreet.

'Wat?' vraagt Eva.

'Die twee gaan trouwen. En we gaan op hun bruiloft met de pony's rijden.'

'Ja leuk,' zegt Eva. 'Dat heet escorterijden. Dan rijden de ruiters in een stoet naar het gemeentehuis achter het bruidspaar aan.'

'Jullie lopen wel hard van stapel,' zegt Carolien. 'Ik zal blij zijn als we veilig thuis zijn.'

Ze nemen het brede zandpad terug. Op de weg worden ze niet gepasseerd door auto's. Eva is blij als ze door het hek de tuin weer inrijdt. Ze zadelen de pony's af en zetten ze in de rijbak. 'Het was keigaaf,' zegt Margreet. 'Maar ik val bijna flauw van de honger.'

Carolien pakt de broodjes uit haar rugzak en deelt ze uit. Margreet propt het bolletje naar binnen. 'Ik lijk wel een hongerige Shetlander,' zegt ze. Het smaakt Eva ook prima.

Pieter wiebelt van de slaap op zijn benen heen en weer. 'We gaan maar eens naar bed,' zegt Carolien geeuwend.

9. Peer is zoek

'Opstaan, wakker worden! Nina en Lotte zijn er al.'
Mama kijkt door een kier van de deur. 'Was het
gezellig vannacht?'
'Hoezo?' Eva rekt zich uit en wrijft slaperig in haar
ogen. Op de matras naast haar bed ligt Margreet,
nog diep in slaap.
'Peer ligt te snurken op zijn matje,' zegt mama. 'Hij
wil niet eens uitgelaten worden en de broodjes zijn
verdwenen. Wat hebben jullie vannacht uitgespookt?'
Ze kijkt Eva nieuwsgierig aan.
'Sorry,' antwoordt Eva. 'We hadden enorme trek.'
'Waar hebben jullie de broodjes opgegeten?'
'Buiten, bij de pony's.'
'Dat is toch niet de bedoeling.' Mama probeert ernstig te kijken. Eva ziet pretlichtjes in haar ogen glan-
zen.
'Wat is er?'
'Ik moest aan vroeger denken,'zegt mama. 'Toen
jullie nog niet geboren waren, wandelden papa en
ik vaak 's nachts in het bos. Fantastisch, allemaal
vreemde geluiden en je komt geen mens tegen.'
'Wij kwamen wel twee mensen tegen,' zegt Eva. Ze
vertelt over de nachtrit op de pony, juf Roos en de
boswachter.
Mama staat versteld. 'Wat een spannende avontu-
ren,' zegt ze. 'Toch wil ik jullie nog wel even zeggen
dat het onverantwoord en gevaarlijk is om 's nachts
zonder verlichting over straat te rijden!'

Mama draait zich om. 'Nina en Lotte zijn al met de pony's bezig. Schiet je wel een beetje op?'

Eva blijft nog even in bed liggen nadenken. Mama en papa houden ook van leuke en spannende dingen doen. Andere ouders zeuren vaak, maar met mama en papa valt dat wel mee. Ze heeft ook een leuke zus en een tof broertje. Carolien helpt haar altijd en Pieter heeft meestal leuke plannen. En ze heeft een supervriendin! En ook nog een lieve pony en een hondje, want Peer mag blijven. Eva voelt zich een geluksvogel. Met welk been zal ze uit bed stappen. Het moet wel haar goede been zijn, want ze heeft zin om vandaag goede dingen te doen. Voor de zeker- heid springt ze met haar beide voeten tegelijk op de grond.

Eva kleedt zich zachtjes aan. Uitslapen vindt Margreet heerlijk, waarom zou ze haar dan wekken? Carolien is ook net opgestaan. In de keuken smeren ze een boterham en nemen hun ontbijt mee naar buiten.

Mama en papa zitten aan de terrastafel koffie te drin- ken. Het is al lekker warm in het zonnetje.

'Waar is Pieter?' vraagt Eva.

'Vanmorgen vroeg is hij naar het Boshuis gereden,' antwoordt mama. 'Hij had met Ben afgesproken.'

Papa zet zijn lege mok met een klap op de tafel. 'Ik ga maar weer eens klussen.' Carolien en Eva kijken elkaar aan en zeggen tegelijk: 'Nee.'

'Gisteren heb je ook de hele dag geklust,' zegt Eva.

'Ga een lange wandeling maken,' stelt Carolien voor.

'Ja,' zegt Eva enthousiast. 'Met mama in het bos.'

'Vanavond komt Margreets moeder eten. Ik wil het

terras nog vegen, het is er gisteren niet meer van gekomen,' zegt mama. 'Waar is Margreet eigenlijk?'

'Wij kunnen prima op Margreet passen,' antwoordt Eva. 'Ze mag lekker uitslapen.'

'We zorgen voor het avondeten en we vegen het terras schoon,' zegt Carolien.

'Ons overkomt niets, we hebben een waakhond,' zegt Eva en wijst naar Peer. De hond ligt op zijn matje met zijn kop op zijn poten te slapen.

Papa geeft mama een knipoog. 'Als jullie zo aandringen,' zegt hij, 'vind ik het wel een goed idee.'

'Jullie zijn geweldige dochters,' zegt mama en geeft Eva en Carolien een knuffel. Ze schrijft op een papiertje een paar taken voor de kinderen.

Even later lopen ze gearmd het pad af.

Carolien bekijkt het vel met taken. 'Ik kook wel,' zegt ze. 'Help jij Lotte en Nina met de pony's?'

Eva knikt. 'Goed, maar Pieter moet ook iets doen.'

'Als hij iets moet doen, is hij altijd weg. Dat is niet de bedoeling.'

Peer rekt zich uit. Eerst zijn voorpoten, daarna strekt hij zijn achterpoten en schudt met zijn vacht. Kwispelend staat hij op en trekt aan zijn riem.

'Zullen we Peer in de tuin los laten lopen?' vraagt Eva.

'Nee,' antwoordt Carolien. 'We laten Peer vandaag nog aan de lijn. Peer kan per ongeluk weglopen omdat hij ons nog niet zo goed kent.'

'Jammer,' mompelt Eva. Ze pakt het touw en neemt Peer mee naar de pony's. 'Hi ha hoi,' zegt Eva vrolijk. 'Dit is Peer.'

Nina en Lotte knuffelen en aaien de hond.

'Wat een schatje! Mag hij echt blijven?' vraagt Nina.

'Niemand kent de hond,' zegt Eva. 'Waarschijnlijk is hij gedumpt. Zo heet het als mensen op vakantie gaan en hun hond achterlaten. Mama is met Peer naar de dierenarts geweest. Meneer Van Dijk had Peer niet eerder in zijn praktijk gezien. Hij onderzocht Peer en verklaarde het hondje kerngezond. Bij het dierenasiel is ook geen hond als vermist opgegeven.'

'Leuk voor je!' Nina kijkt Eva blij aan.

'Dit riempje zit veel te strak,' zegt Lotte. Ze doet het bandje om zijn hals meteen wat losser. 'Hij heeft een nieuwe halsband nodig. Hij moet wel een hondenpenning dragen,' zegt ze. 'Honden zonder penning zijn illegaal en worden naar het asiel gebracht.'

'Mama is al naar de dierenarts geweest, die penning moeten we nog kopen,' zegt Eva. Ze besluit vandaag extra goed op Peer te letten.

Nina en Lotte hebben Funny, Sneeuw en Mik geborsteld. 'Mag ik op Funny rijden?' vraagt Nina.

'Mag ik op Mik?' vraagt Lotte. Eva vindt het prima. Ze zadelen samen de pony's op.

'Willen jullie een lekker geurtje?' Eva bespuit Funny en Mik met de fles citroenwater tegen de vliegen. Daarna controleert ze de gespjes van het hoofdstel en de singel. Funny zet vaak haar buik uit zodat de singel niet strak kan worden aangetrokken. Eva stapt een rondje met Funny aan de hand. Daarna kan ze de singel wel aantrekken. Intussen loopt Nina met Peer aan de lijn.

'Bah, hij eet mest,' zegt Nina.

'Dat moet je hem onmiddellijk afleren,' zegt Lotte. 'Honden worden ziek van mest eten.' Eva pakt de riem en geeft een rukje. 'Foei, Peer.'

Het hondje luistert niet en hapt weer in de mest.

Eva trekt Peer mee en bindt de hond vast aan het hek.

Daarna helpt ze Nina met opstijgen en laat ze Pluk met Sneeuw los in de rijbak lopen. Lotte zit al op Mik. 'We gaan vandaag een proefje rijden,' zegt Eva. Ze herhaalt wat juf Roos de vorige ponyles heeft verteld. 'Met een rijproef probeer je zo netjes mogelijk te rijden. Dus een volte is een rond rondje en geen peer.'

Eva kijkt even achterom naar de paal waar ze Peer aan heeft vastgebonden. Bij de paal ziet ze geen hond. Is de hond weg?

'Peer,' roept ze verschrikt. 'Peer!' De riem met het touw zit nog wel aan de paal vast maar het hondje is nergens te bekennen.

'Heet hij wel echt Peer?' vraagt Lotte.

Eva kijkt haar kwaad aan. Lotte lijkt een beetje op de tweeling, ze weet ook alles beter en daar heeft Eva een hekel aan.

'Gaan jullie even zelf rijden,' zegt ze kribbig. 'Grote volte in stap en draf en halt houden oefenen.'

Eva rent naar huis. Peer ligt niet op zijn matje in de bijkeuken. Misschien is de hond naar Carolien gegaan. Haar zus veegt het terras schoon. Ze heeft Peer niet gezien.

'Peer is spoorloos,' zegt Eva verdrietig. Haar goede gevoel is ook spoorloos. 'Het spijt me zo. Lotte zegt dat Peer illegaal is omdat hij geen penning draagt.'

10. De speurtocht

'Peer,' roept Eva luid. 'Peertje.'
Nina en Lotte helpen met zoeken. Ze stappen op de pony's door de tuin. Eva weet dat haar ouders niet willen dat ze in de tuin ponyrijden. De hoeven trappen het grasveld stuk. Bovendien neemt Funny vaak een hap van de planten. Vandaag vindt Eva Peer belangrijker dan een paar opgegeten bloemen.
'Peer, Peheeer!' roept Eva steeds. Nergens is de hond te bekennen.
Eva fluit op haar vingers. Het geluid snerpt door de tuin, maar Peer komt niet. Ze kijkt in de stal, tussen de hooibalen en zelfs in de voerkist. Geen Peer.
Margreet steekt haar slaperige hoofd uit het slaapkamerraam. Van het geroep is ze wakker geworden.
'Kom je ook zoeken?' vraagt Eva. 'Peer is weg.'
Margreet kleedt zich snel aan. Met een boterham in haar hand loopt ze de tuin in.
'Hij is vast achter een konijn aangerend,' zegt Margreet. 'Honden hebben jachtinstinct.'
'Dan gaan we in het bos zoeken,' stelt Carolien voor. Nina en Lotte juichen. Ze hebben nog nooit in het bos pony gereden.
Eva voelt zich verdrietig en een beetje schuldig. Ze had Peer niet aan de paal moeten vastbinden. Logisch, dat het hondje niet weer vastgebonden wil worden en ontsnapt is.
Carolien zadelt Sneeuw op en Eva doet Pluk zijn halster om. De kinderen lopen met zijn allen de tuin uit.

'Slaan we linksaf dan lopen we naar het bos, gaan we rechtsaf dan komen we langs het Boshuis waar Ben en zijn vader wonen,' zegt Carolien.

'In het bos zitten veel konijnen,' zegt Margreet. 'Laten we linksaf naar het bos gaan.'

'Ja, leuk!' zegt Lotte. 'Ik wil naar het bos.'

'Een hond zoekt altijd zijn baasje,' zegt Nina wijs.

'Vanmorgen is Pieter met Bontje naar het Boshuis gereden,' zegt Eva. 'Misschien heeft Peer het spoor van Pieter gevolgd...'

'Laten we rechtsaf gaan,' zegt Carolien.

De kinderen komen er niet uit.

'We laten de pony's kiezen,' stelt Eva voor.

Lotte heeft zin om naar het bos te gaan en drijft haar pony stiekem naar links. Mik is eigenwijs en slaat rechtsaf.

Lotte en Nina kijken een beetje teleurgesteld. Ze hadden zich net zo op het bos verheugd.

Langs de weg stappen ze netjes achter elkaar aan. Af en toe passeert er een auto. Nina en Lotte wuiven naar iedere automobilist. Omdat ze voor het eerst buitenrijden, voelen ze zich heel trots. Sommige mensen zwaaien terug.

Op de oprit van het Boshuis mogen Lotte en Nina draven. Carolien rent met Pluk aan het touw mee. De pony's staan bij de voordeur netjes stil.

'We nemen het pad langs het huis,' zegt Eva. 'Ben en zijn vader zitten vast op het terras.' Ze loopt voorop via een smal paadje tussen de bloemen door.

Op het terras staan koekjes op tafel maar Pieter, Ben en zijn vader zijn nergens te bekennen.

'Misschien zijn ze achter in de tuin,' zegt Eva. 'Kom, we rijden erheen met de pony's.' Ze loopt de stenen trap af naar het grasveld.

Lotte en Nina staan voor de trap stil.

'Ik durf niet,' zegt Nina.

'Funny wel,' zegt Eva. 'Op de Shetlandeilanden zijn de pony's gewend om rotsen te beklimmen. Een trap afgaan is voor een Shetlander niet moeilijk.

Leun een beetje achterover en geef je pony iets meer teugel,' zegt Eva. Ze loopt voor Funny uit. Funny volgt haar baasje en stapt rustig over de treden naar beneden.

'Ik kan traplopen op de pony,' juicht Nina. De anderen volgen haar voorbeeld.

Opeens heft Funny haar hoofd op en hinnikt vrolijk. Achterin de tuin antwoordt Bontje met een vrolijke hinnik.

'De pony's begroeten elkaar,' zegt Eva. Ze draven over het grote grasveld in de richting van het geluid.

'Woef, woef,' hoort Eva. Het geblaf klinkt Eva als muziek in haar oren.

'Peer,' roept ze blij. Het hondje stuift naar haar toe en rent vrolijk een rondje. Eva is erg opgelucht dat Peer niet weggelopen of verdwaald is. Peer heeft gewoon het spoor van Pieter gevolgd.

'Kleine spoorzoeker,' zegt Margreet. 'Wil je voortaan zeggen waar je heengaat?' Peer houdt zijn olijke kopje schuin alsof hij nadenkt.

'Woef.' Een korte blaf is het antwoord. Peer rent nog een rondje om de pony's. De hond rent naar de andere kant van het grote grasveld.

Daar ziet Eva Bens vader, Pieter en Bontje staan.

Peer racet weer naar haar toe en maakt blaffend zijn rondje. Pluk trekt opgewonden aan het touw. 'Volgens mij is Peer een schapenhond,' zegt Carolien. 'Hij probeert ons bij elkaar te drijven.'

Midden op het grasveld ziet Eva de rolstoel van Ben staan. Wat is hier aan de hand? Eva heeft Ben nog nooit zonder rolstoel gezien, dus ook geen rolstoel zonder Ben. 's Nachts ligt Ben in een speciaal bed, weet ze. Misschien heeft het bed wieltjes en staat het met mooi weer in de tuin...
Ze steken het gazon over. Dichterbij gekomen zien ze iets heel bijzonders! Bens vader en Pieter staat naast Bontje. En Ben? Ben zit op de ponyrug. Met een hand houdt hij een pluk manen vast, met de andere begroet hij de bezoekers. Zijn gezicht straalt van blijdschap. Bontje draait zijn oren naar voren en stapt netjes aan de hand van Pieter. Ben rijdt op Bontje!
De kinderen blijven op een afstandje kijken want ze willen Ben niet storen. De jongen heeft al zijn aandacht nodig om te blijven zitten. 'Dit is geweldig,' fluistert Eva.

Even later zitten ze op het terras. Ben zit weer in zijn rolstoel. Nina en Lotte letten op de pony's. Ze mogen grazen op het gazon.
'Ben wilde zo graag rijden,' vertelt Pieter. 'En als je iets graag wilt dan lukt het ook, zegt mama altijd.'
'Ben heeft veel moeite met zijn zitbalans,' legt Bens vader uit. 'Met de revalidatie oefent hij de zitbalans op een bal maar dat vindt hij heel eng. Pieter en ik hebben bedacht dat hij ook op de pony kan oefenen.

En dat is gelukt!' Hij legt zijn hand op Bens schouder. 'We oefenen elke dag en...'

'Vandaar dat je steeds naar Ben toegaat,' valt Carolien haar broertje in de rede. 'Ons broertje is altijd weg, als er thuis werk gedaan moet worden.'

Bens vader moet hartelijk lachen.

Ben trapt met zijn voeten op de rolstoelsteun, zwaait met zijn handen en knikt met zijn hoofd.

Pieter lacht naar hem en steekt zijn duim omhoog.

Ben lacht terug van zijn ene tot zijn andere oor.

'We gaan nog niet in galop, hoor,' zegt Bens vader grinnikend. Dan kijkt hij weer ernstig. 'Ben zal nooit meer kunnen lopen want zijn zenuwen zijn beschadigd. Het mooie is dat Ben veel plezier in het ponyrijden heeft. Hij is ook meer ontspannen en dan lukt alles beter. Deze week heeft Ben meer geleerd dan al die tijd bij de revalidatie.'

Hij wendt zijn hoofd even af. Eva ziet in zijn ooghoek een traan blinken. Ze is heel trots op Pieter omdat hij Ben zo goed geholpen heeft.

Ben hangt een beetje scheef in zijn rolstoel. Zijn vader heeft het ook gezien en wil hem binnen laten rusten. Ze lopen terug naar het huis. Pieter geeft Ben een vriendschappelijke klapje tegen zijn schouder. 'Dag vriend.'

Het klinkt zo gemeend dat Eva haar broertje even heel tof vindt. Even maar, want Pieter pakt drie koekjes tegelijk en dat doe je niet als je ergens op bezoek bent.

Op de terugweg is iedereen vrolijk.

'We hoeven nooit bang te zijn dat Peer wegloopt,'

zegt Eva. 'Peer loopt juist naar ons toe. De hond wil ons bij elkaar te houden.'

'De vader van Ben denkt dat Peer een kruising tussen een terriër en een schapenhond is,' zegt Carolien.

'Dat kan,' zegt Margreet. 'Terriërs zijn gek op konijnen en schapenhonden drijven de schapen bij elkaar.' Ze kijkt alsof ze alles over alle hondenrassen weet.

Lotte zingt een liedje op haar pony. Ze verheugt zich om op school over de buitenrit te vertellen.

'Ik heb een raadsel voor mijn oma,' zegt Nina. 'Ra, ra, wat kan ik op de pony? Traplopen!' verklapt ze. 'Dat raadt mijn oma nooit.'

Pieter wiebelt in zijn zadel. 'Wat doe jij blij,' zegt Margreet.

'Toen Ben op de ponyrug zat, leek het of zijn armen en benen wakker werden.'

Eva kijkt naar haar broertje. Hij zegt de dingen zo grappig. Maar misschien heeft hij wel gelijk. Als ze diep geslapen heeft, voelen haar armen en benen ook heel zwaar. Net of ze nog niet willen.

'Vanmorgen ben ik met mijn goede been uit bed gestapt,' zegt Eva. 'Het is gewoon een geluksdag.' Ze plukt een bloemetje en steekt het in het hoofdstel van Funny.

11. Een koe op de weg

De paar dagen vakantie vliegen voorbij. Eva heeft nog vier weken school voordat de zomervakantie begint. Op school is het saai, vindt ze. Het is ook veel te mooi weer om binnen te zitten. Eva verheugt zich zo op de zomervakantie, ze moet er de hele tijd aan denken. Peer gaat mee op ponytrektocht want de hond mag echt blijven. Mama heeft een nieuwe riem en een hondenpenning gekocht. Met Margreet heeft ze nog een grote buitenrit gemaakt. Op de kaart hebben ze uitgerekend hoe ver ze gereden hadden. Ruim twintig centimeter, omgerekend is dat meer dan twintig kilometer. Best ver, vindt Eva.

'Eva.' In de verte klinkt haar naam. Eva schrikt op uit haar gepeins en kijkt op. Juf staat voor het bord en heeft het huiswerk voor volgende week opgeschreven. Het is een aardrijkskunde overhoring. 'Als jullie iedere middag een paar plaatsen leren, halen jullie allemaal een tien,' zegt juf opgewekt. Ze houdt de ochtendsluiting en wenst iedereen succes met leren. Eva is niet van plan om binnen te gaan zitten leren. Ze heeft hele andere plannen voor de middag.

Op woensdagmiddag gaat Eva altijd ponyrijden. Vanmiddag heeft ze met Margreet afgesproken om weer een buitenrit te maken.

'Peer, ga je mee?' vraagt Eva. De hond springt blij om haar heen. Eva maakt de riem aan zijn halsband vast en stijgt op haar pony.

'Dag.' Ze zwaait naar mama op het terras.

'Doe je voorzichtig langs de weg,' zegt mama. 'En laat je Peer aan de bermkant lopen?'

'Is goed,' antwoordt Eva en rijdt de tuin uit. Ze heeft met Margreet afgesproken dat ze haar tegemoet komt rijden. Eva stapt rustig langs de weg en Peer loopt braaf mee. De weilanden zijn net gemaaid. Eva snuift de verse graslucht op. De lucht is vol vogelgeroep. Kievieten fladderen laag boven het maailand. Ze zijn natuurlijk boos dat hun nestplek gemaaid is. Gelukkig zijn hun jongen al uitgevlogen, weet Eva. De boeren maaien pas na het broedseizoen. Dat heeft Robin haar verteld.

Funny draait haar oren naar voren en gaat vanzelf draven. 'Ho maar,' zegt Eva. 'We hoeven niet op tijd op school te zijn.' Peer rent met grote sprongen mee. In de verte hinnikt een andere pony. Dat zal Mik zijn. Funny heeft zin om haar ponyvriend te zien en draaft naar Mik toe. Margreet staat aan de kant van de weg naast haar pony. Mik snuift en maakt een grommend geluid. Hij houdt zijn staart in de lucht.

'Hé hoi,' zegt Eva. 'Wat is er? Waarom zit je niet op je pony?'

'Mik vindt die koe raar,' roept Margreet. 'Mik durft niet verder.'

Eva kijkt naar de koe in de sloot. Het beest staat midden in het water.

'Een koe hoort in de wei,' zegt Margreet. 'Mik snapt er niets van.'

Eva probeert de koe op het land te jagen. 'Hup,' roept ze. 'Ga gras eten.'

De koe kijkt haar suffig aan en blijft staan. Eva zwaait

met haar arm. Peer blaft naar de koe. De hond springt wild aan de riem heen en weer, trekt zich los en springt in de sloot. Met zijn korte pootjes zwemt Peer naar de grote koe.

'Peer kom,' roept Eva verschrikt.

De hond luistert niet en zwemt blaffend om de koe heen.

'Peer mag de koe niet opjagen,' zegt Eva. 'Wat moeten we doen?'

'Laten we verder rijden,' stelt Margreet voor. 'Peer komt wel mee.' Ze trekt Mik achter zich aan en loopt door.

Eva roept nog een keer. Peer blaft en zwemt om de koe heen. De hond heeft absoluut geen tijd voor zijn baas. Eva draaft achter Margreet aan. Een stukje verderop blijven ze staan. 'Peer,' roept Eva weer. 'Peer, kom hier.'

De hond rent naar zijn baas. Maar hij is niet alleen. Peer drijft de koe voor zich uit langs de weg.

'Woef, woef,' blaft Peer en kwispelt. De koe kijkt naar de kinderen en loeit.

'Peer, dat mag niet,' zegt Eva boos. 'Stoute hond.' De oortjes van Peer zijn naar achter geklapt en zijn natte vacht zit vol groen kroos.

'Die hond heeft een drijfinstinct,' zegt Margreet giechelend.

'Leuk, hoor,' zegt Eva. 'Een koe op de weg is echt gevaarlijk. De auto's rijden hier best hard...'

'Ga terug,' zegt Margreet streng. 'Ga lekker naar je eigen weiland.'

De koe neemt een hap gras uit de berm. 'We moeten snel iets doen,' zegt Eva.

'Laat Peer de koe weer terug naar het weiland drijven,' stelt Margreet voor.

'Peer,' roept Eva. De hond kijkt haar vragend aan. Hoe kan ze de hond uitleggen dat hij dat beest terug moet brengen? Drijfinstinct, denkt Eva. Als ze met de pony's in het weiland staan zal Peer hen met de koe vast volgen!

Eva stuurt Funny langs de slootkant naar beneden.

'Ben je helemaal gek,' zegt Margreet. 'Ga je zwemmen?'

'Als een koe in de sloot kan staan, moet een pony het ook kunnen,' antwoordt Eva.

Funny voelt voorzichtig met haar hoeven of de grond stevig genoeg is. Stapje voor stapje gaat ze verder de sloot in. Het water komt tot haar buik en halverwege Eva's laarzen.

'Kom nu.' Eva wenkt naar Margreet. Haar vriendin kijkt alsof ze zelf in een koe veranderd is. Eva drijft Fun naar de overkant en stapt daar het land weer op. Dit gaat gemakkelijk want de koeien hebben de slootkant vertrapt zodat het geleidelijk overgaat in het weiland. Funny hinnikt naar Mik en schudt haar vacht uit. Eva beloont haar pony met klopjes en aaitjes.

'Brave pony, je bent de beste pony van de wereld.' Haar truc lijkt te lukken. Peer rent blaffend om de koe heen.

De koe gaat gedwee terug in de sloot en ploetert naar de overkant. Peer plonst achter het beest aan. Zodra de koe terug is in het weiland, graast het beest verder, net of er niets gebeurd is.

Margreet stuurt haar pony ook door het water. Midden in de sloot staat Mik stil. De pony strekt zijn hals uit en neemt een slok water. 'Hup Mik,' zegt Margreet. 'Doorlopen.' Ze drijft haar pony aan.

Mik blijft rustig staan en snuift zodat het water rond spettert.

Margreet geeft haar pony een tik. Het helpt niets. Mik blijft staan en geniet van het koele water. Margreet kijkt ongerust om zich heen. Het water van de sloot stijgt, of zakt haar pony weg? Het water komt al tot de rand van haar laarzen!

'Kom je nog?' roept Eva.

'Mik wil niet verder.' Margreet voelt water in haar

linker rijlaars stromen. 'Help,' gilt ze en laat zich van de ponyrug glijden. Margreet staat tot haar billen in het water en ze zwaait met haar armen. Zonder berijder kan Mik zich makkelijker bewegen. De pony neemt een sprong en klimt op de kant. Margreet waadt door het water. Stapje voor stapje, want de bodem is glibberig. Op handen en voeten klimt ze tegen de slootkant op. Haar rijbroek is bruin van de modder en het kroos hangt aan haar T-shirt.

Eva heeft Mik aan de teugel vast. Ze ligt dubbel van de lach. Peer blaft vrolijk mee.'Goed zo Peer,' zegt Eva lachend. 'Goed idee van mij.'

'Ik ben kletsnat,' jammert Margreet. 'Zo goed is dat idee niet. Bovendien heb ik gezegd dat Peer een drijfinstinct heeft.'

'Ja, maar het was wel mijn idee,' zegt Eva. 'Anders was die koe misschien overreden.'

'Dat heeft niks met dat instinct te maken.'

'Je stinkt zelf,' zegt Eva.

'En Funny lijkt op een koe,' zegt Margreet lachend.

De vriendinnen kijken naar elkaars pony's. Funny en Mik zijn voor de helft zwart van de modder uit de sloot. Ze zien er echt vies uit. Margreet gaat in het gras zitten. Ze trekt haar rijlaarzen uit en laat het water eruit lopen. Daarna knijpt ze haar sokken uit en trekt haar sokken en laarzen weer aan. 'Ach, het droogt wel weer,' zegt ze. Eva pakt de riem van Peer stevig vast. Verderop staan de andere koeien. Ze heeft geen zin in nog meer koeienavonturen.

12. Wortels en ganzen

'Ik wil naar huis,' zegt Eva.

'Denk niet dat ik door die stinksloot terugga.' Margreet trekt haar neus op.

'Dan rijden we door het weiland,' zegt Eva.

Ze stappen naast elkaar en Peer loopt netjes mee. Een paar koeien kijken even op, maar trekken zich niets van de pony's aan.

'Daar is een hek,' zegt Margreet. Het hek is met een touw dichtgebonden. Eva stijgt af, trekt het touw los en duwt het hek open.

'Weet jij van wie dit land is?' vraagt Margreet. Eva haalt haar schouders op. 'Verderop liggen een paar boerderijen. We volgen gewoon dit tractorspoor, dan komen we wel weer bij een weg uit.'

Ze stappen langs een veld vol fijn groen loof.

'Is dit boerenkool?' vraagt Margreet.

'Nee joh, het zijn wortels,' antwoordt Eva. Ze kent de plant uit mama's groentetuin.

'Ik heb honger,' zegt Margreet.

'Nou, dan trek je toch een worteltje uit de grond.' Eva zegt het voor de grap. Margreet springt op de grond en trekt een dikke tros loof los met een oranje wortel. Ze veegt de wortel aan haar natte broek schoon en neemt een flinke hap. 'Lekker joh.'

Eva schrikt. 'Je mag niet uit andermans tuin eten.'

'Een wortel meer of minder maakt echt niet uit,' zegt Margreet.

Eva kijkt naar het grote veld met wortels. Ze weet

niet zeker of ze ook een wortel zal pakken. Eigenlijk is het stelen, vindt ze. Margreet breekt een stuk van haar wortel af voor Eva. Al wortelknagend rijden ze verder langs een bietenveld en een maïsveld. De maïsplantjes zijn nog klein.

'Dit is vast voedermaïs, voor de koeien,' zegt Eva. 'De hele plant wordt gemaald en ingekuild voor de winter.'

Ze slikt gauw de laatste hap wortel door, want ze naderen een boerderij.

'We rijden zo onopvallend mogelijk langs het woonhuis naar de weg,' zegt Eva.

Een troepje snaterende ganzen stuift naar hen toe. Margreet drijft Mik vooruit. Maar haar pony loopt achteruit in plaats van vooruit. Funny wil ook niet verder lopen. De ganzen strekken hun koppen uit en blazen luid. Ze pikken zelfs naar hun voeten. Eva trekt haar rijlaarzen een stukje omhoog.

'Dit is enger dan een sloot,' zegt Margreet met een piepstemmetje.

Peer blaft luid naar de snaterende vogels.

De deur van de woning gaat open en een vrouw komt naar hen toe. Margreet verslikt zich in een stukje wortel en moet zo hoesten dat ze niets meer kan zeggen.

'We zijn verdwaald,' stamelt Eva.

'Ik zag jullie al lang aankomen, dames,' zegt de vrouw. 'Vanuit de keuken kijk ik uit over het wortelveld.'

'Oh,' zegt Eva. Heeft de vrouw ze wortels zien eten? Ze schaamt zich verschrikkelijk. 'We hebben ook nog een koe uit de sloot gered,' zegt ze snel. 'Dat zie ik,' zegt de vrouw. 'Wat zien die pony's er smerig uit. Zo kun je niet over straat rijden. Jullie mogen ze wel even schoonspuiten. Naast de koeienstal is een wasplaats.' Ze jaagt de ganzen weg. Eva en Margreet stijgen af en lopen met haar mee naar de stal. Ze houden de pony's aan de teugel vast terwijl de vrouw de pony's schoon spuit. Met een sterke straal water spuit ze de modder van de buik en de benen. Peer heeft geen zin in een douche. De kleine hond duikt weg achter Eva. 'Stop de hond thuis maar in bad,' zegt de vrouw lachend. Ze spuit de rijlaarzen van Margreet ook schoon. 'Dank u wel,' zegt Margreet.

'Zo durven we weer over straat,' zegt Eva. Ze kijken beiden een beetje angstig naar het groepje ganzen bij het hek.

'Ganzen zijn prima wakers,' zegt de vrouw. 'Wanneer we bezoek krijgen snateren ze luid. Dat hebben jullie wel gemerkt.' De vriendinnen knikken.

Eva en Margreet bedanken haar nog een keer en rijden de weg op. Ze slaan linksaf naar het dorp.

'Thuis hebben we lekker veel te vertellen,' zegt Margreet vrolijk.

'Deze ponytocht was bijna leuker dan de boswachter plagen in het bos,' zegt Eva giechelend.

13. Pieter verbouwt de tuin

Eva en Margreet lopen met hun pony's aan de hand door het tuinhek. Tussen de bomen wapperen gekleurde vlaggetjes, felgekleurde linten versieren het pad en overal staan gekke voorwerpen.

'Wat is hier aan de hand?' vraagt Eva verbaasd.

'De hele tuin is versierd,' zegt Margreet. 'Hebben jullie feest?'

'Daar weet ik niets van,' antwoordt Eva. Ze probeert haar pony mee te trekken. Funny en Mik snuiven en briesen. De pony's durven de tuin niet in. Zelfs Peer blaft tegen een geel zeil op de grond.

'Willen jullie meedoen?' Pieter draaft op Bontje naar de meisjes toe.

'Met wat?' vragen Eva en Margreet tegelijk.

'Ik heb aan Bens vader verteld over de behendigheidswedstrijd,' legt Pieter uit. 'Toen heeft hij me geholpen de tuin te versieren. Ben heeft ook slingers opgehangen.'

Margreet en Eva begrijpen er niets van.

'Onze Shetlanders winnen nooit de eerste prijs met de behendigheidswedstrijd. Waarom heb je de tuin versierd terwijl we die wedstrijd nog moeten rijden?' vraagt Eva.

'Ik win zeker weten niet,' zegt Margreet. 'Mik is al bang voor een koe in de sloot.'

Pieter geeft geen antwoord. Hij grijnst en draaft voor de meisjes uit naar de stal. Pieter stuurt zijn pony om drie lege kratten heen en over het gele plastic kleed.

Eva loopt met haar pony mee. Voor het glimmende zeil blijft Funny staan.

Margreet heeft het door. 'Je broertje traint voor de wedstrijd,' antwoordt ze. 'Dit is een oefening voor de behendigheidswedstrijd.'

Nu begrijpt Eva het pas. Pieter bereidt zich op en top voor!

Eva probeert Funny over het plastic zeil te laten lopen. Eerst laat ze haar pony snuffelen. Daarna gaat Eva zelf op het kleed staan. Het plastic kraakt onder haar voeten. Funny vindt het krakende gele plastic eng. De pony loopt er snel omheen. Eva begrijpt niet dat haar broertje zijn pony zonder probleem over het plastic laat draven.

Eva en Margreet zadelen hun pony's af. Funny duwt zijn neus in de emmer met water. Hij drinkt de halve emmer leeg.

'Ik heb ook dorst,' zegt Eva.

'En van een wortel kan ik niet leven,' zegt Margreet lachend.

Ze hebben zin om op het terras limonade te gaan drinken.

Pieter rijdt weer langs. 'Willen jullie het hele parcours zien?'

'Ja leuk,' antwoordt Margreet.

'Heb je nog meer van die enge hindernissen gemaakt?' vraagt Eva. Ze ziet in een boom slierten aluminiumfolie hangen. De folie beweegt in de wind en glanst in het zonlicht. Tussen vier bomen heeft Pieter een touw gespannen. Over het touw hangen oude lakens.

'Dit is het doolhof,' zegt Pieter trots. 'Het leukste komt nog!' Hij laat de meisjes een zelfgemaakte waterbak zien. 'Ik heb vier balken in een vierkant gelegd,' vertelt hij. 'Papa had nog een stuk land-bouwplastic liggen. We hebben de bak gevuld met de tuinslang. Op de behendigheidswedstrijd is ook een waterbak. Bontje draaft al met gemak door het water.'

Peer drinkt uit de zelfgemaakte waterbak. Eva spoelt met haar handen de modder uit zijn vacht.

Margreet stapt met haar rijlaarzen in het water om te kijken hoe diep het is. Het water komt tot net iets boven haar enkels. 'Het is niet zo diep als de sloot,' zegt ze. 'Voor Funny en Mik is de waterbak een mak-kie.' Ze geeft Eva een knipoog.

'Je hebt een heel mooi oefenparcours gebouwd,' zegt Eva.

'Papa, Ben en zijn vader hebben me geholpen,' zegt Pieter. 'We hebben wel gelachen. Bens vader is zelfs in een boom geklommen.'

Een bulderend gelach klinkt vanaf het terras. Alleen Bens vader kan zo hard lachen. Hij zit met Eva's ouders te praten. Ben zit erbij in zijn rolstoel. Zodra hij Pieter ziet, tilt hij zijn hand op en lacht vrolijk.

'Als jullie pony's aan dit oefenparcours gewend zijn,' zegt Bens vader, 'dan is die behendigheidswedstrijd een eitje. Ben en ik komen natuurlijk kijken.'

Mama schenkt voor de meisjes limonade in. Iedereen praat door elkaar. Pieter over de hindernis-baan en Margreet vertelt over de koe, de sloot en de ganzen. 'Ze snateren heel waaks.'

Op dat moment hinnikt Sneeuw. Carolien fietst de

tuin in. 'We hebben geen ganzen nodig,' zegt papa. 'Die pony's zijn toch nog ergens goed voor.'

'Ganzen zijn hele slimme beesten,' zegt mama.

'Ganzen zijn erger dan pony's,' zegt Eva. 'Het erf bij de boerderij was helemaal kaal gevreten.'

'We kunnen een paar ganzen in mama's bloementuin houden,' zegt Pieter grijnzend. 'Dan hoeft ze nooit meer te wieden.'

Carolien gaat er bij zitten. 'Waarom is de tuin zo raar versierd?'

Pieter legt het haar uit.

'Leuk,' zegt Carolien. 'Dit is onze kans.'

'Wat bedoel je?' vraagt Eva.

'We gaan heel goed oefenen,' zegt Carolien. 'Zodat onze Shetlanders op de behendigheidswedstrijd een recordtijd halen. Dan zijn we sneller dan de Welsh-pony's van Sara en Tara.'

'Dat lukt ons nooit,' zegt Eva. 'Funny durft niet eens te kijken naar het gele plastic.'

'Natuurlijk wel,' zegt papa. 'Mijn tuin is niet voor niets verbouwd.'

'Ben en ik blijven nog even om jullie aan te moedigen,' zegt Bens vader.

De kinderen gaan hun pony's weer opzadelen.

14. Oefenen voor de wedstrijd

'Wil jij voorop rijden?' vraagt Eva aan haar broertje.
'Dat is goed,' zegt Pieter. Hij laat Bontje over het
plastic kleed stappen. Eva rijdt achter hem aan.
Funny zet voorzichtig een hoef op het krakende zeil.
'Braaf, goed zo,' zegt Eva. Ze beloont haar pony met
klopjes op zijn hals. Voetje voor voetje stapt de pony
verder. Eva aait Funny door de manen.
'Nog een keer en nu in draf,' zegt Pieter. Eva is net
heel blij dat het haar in stap gelukt is, maar volgt zijn
raad toch op. Na de vierde keer draaft haar pony
zonder angst over het plastic kleed. Sneeuw en Mik
durven het ook na een paar keer oefenen.
Bij het doolhof moeten de pony's tussen de opgehangen lakens door rijden. De smalle doorgang
vinden ze eng. Pieter gaat weer voorop. Funny raakt
een beetje opgewonden van het doolhof. Eva heeft
de grootste moeite om haar in te houden. Funny trekt
aan de teugel en daardoor kan ze haar pony niet de
goede kant op sturen. Bij Carolien en Margreet lukt
het wel. Eva probeert het nog een keer.
'Rustig je pony de bocht om sturen,' zegt Carolien.
Dat is makkelijker gezegd dan gedaan, vindt Eva. Ze
voelt zich totaal niet rustig want haar pony doet niet
wat ze wil. Ze haalt diep adem en probeert het nog
een keer. Eindelijk stapt Fun netjes tussen de doeken
door en haalt ze alle bochten.
'Goed zo Eva,' roepen mama, papa en Bens vader
vanaf het terras.

De aluminium slierten wapperen in de wind. Bontje draaft tussen de slierten door, maar Funny en Sneeuw hebben nog nooit zoiets geks gezien. Ze snuiven en briesen en lopen achteruit. Eva springt op de grond en neemt Funny aan de teugel mee. 'De slierten bijten niet...' zegt ze.

'Mik vindt ze ook levensgevaarlijk,' zegt Margreet. Ze stuurt haar pony de andere kant op. 'Laat die domme slierten maar zitten.'

'Nooit je pony laten winnen,' zegt Pieter. 'Bontje durft toch ook en is de kleinste van de vier.'

Papa loopt naar de ruiters toe. Hij hangt een paar slierten opzij.

Margreet stuurt haar pony terug en probeert het nog een keer.

Nu durft Mik verder te lopen. De anderen volgen. Na een tijdje proberen ze langs alle slierten te rijden. De pony's draven dwars door de slierten heen.

'Mik is vergeten dat hij het eerst niet durfde,' zegt Margreet lachend.

'Goed zo Mik!' Ze aait haar pony door zijn manen.

Papa loopt mee naar de volgende hindernis. 'Dit is een beweegbare brug,' legt hij uit. Pieter stapt met Bontje op een plaat hout. Halverwege klapt de brug om.

'Dit doet Funny nooit,' zegt Eva.

'Probeer het eerst zelf eens,' stelt papa voor. De meisjes stijgen af en lopen een voor een over de brug. Eva blijft halverwege staan. Ze zet haar voet over het midden en langzaam zakt de plaat omlaag.

'Zo doe je het goed,' zegt papa. 'Je laat je pony heel rustig over het midden heen stappen. Dan is het niet zo eng.' Eerst oefenen ze met de pony's aan de hand. Funny, Mik en Sneeuw leren heel rustig naar het midden te stappen. De pony's zijn veel minder bang dan Eva gedacht had. Daarna rijden ze over de brug. Het lukt ze alle drie.

'Yes,' juicht Eva. Ze ziet het weer helemaal zitten.

'Op naar de plonspoel,' zegt Margreet.

'Bedoel je mijn waterbak?' Pieter kijkt haar verontwaardigd aan. Hij draaft door het water zodat het flink spettert en Margreet met een gilletje opzij springt.

Eva laat Fun eerst even met lange teugel ruiken. De pony neemt een slok water uit de waterbak en stapt met gemak naar de overkant.

'Na de moddersloot is dit niet meer dan een plasje water,' zegt Eva. Alleen Sneeuw doet nog een beetje onwennig.

De moeder van Margreet loopt de tuin in. Ze komt haar dochter ophalen. 'Hoi mam, kom je kijken?' vraagt Margreet.

Mama, Ben en zijn vader gaan naar de ruiters toe. Bens vader zet de rolstoel op de rem. Peer heeft zich op Bens schoot genesteld. Het hondje kijkt even slaperig rond en legt zijn kop weer neer. Ben beweegt zijn vingers door de krullerige vacht.

'Willen jullie nog een keer langs alle hindernissen rijden?' vraagt papa.

'Ja, leuk,' zegt Margreets moeder. Ze is erg benieuwd.

'Funny is net een beetje gewend geraakt,' sputtert Eva tegen.

'Dan is het juist goed om nog een keer te rijden,' zegt papa.

'Nemen jullie de tijd op?' Pieter geeft zijn horloge aan papa. Zijn horloge heeft een stopwatch. Papa gaat bij de finish staan en mama geeft het startsein.

Pieter mag eerst rijden. Bontje neemt alle hindernissen zonder aarzeling. Hij stapt in het doolhof, draaft onder de slingers door en neemt heel rustig de houten brug. Daarna galoppeert hij zo hard hij kan door de waterbak. Iedereen klapt en Pieter beloont zijn pony.

Eva hoopt echt dat haar broertje op de wedstrijd ook zo goed rijdt, want hij is een eerste prijs waard. Daarna is Margreet aan de beurt. Ze doet het heel rustig aan. Mik volgt braaf de route. Zonder weigering of kuren rijdt Margreet over en langs de hindernissen. Carolien rijdt ook goed, alleen bij de houten brug blijft Sneeuw even wachten.

'Heel rustig blijven,' zegt Pieter. Carolien aait Sneeuw door haar manen. Het helpt want de pony stapt braaf verder. Als laatste is Eva aan de beurt. Ze voelt zich een beetje zenuwachtig. 'Rustig maar,' fluistert ze tegen haar pony en ook een beetje tegen zichzelf. Funny schudt met haar hoofd en snuift. Het lijkt of de pony zin heeft om te racen.

'Drie, twee, een, go,' zegt mama. Eva viert de teugels en Funny schiet vooruit. Ze galoppeert over het zeil, stapt door het doolhof, dwars door de slingers, draaft over de brug en galoppeert door het water zodat het flink spettert. Het gaat zo snel dat Eva het haast niet bij kan houden. Papa springt aan de kant.

'In mijn eigen tuin kan ik niet eens veilig staan,'

moppert hij en tuurt op zijn stopwatch. 'Eva, jij bent de snelste, daarna volgt Pieter, Margreet en Carolien. 'Goed zo Eva,' roept Pieter. Margreet klapt in haar handen.

Op dat moment schrikt haar pony en gaat er in rengalop vandoor. Mik galoppeert over het grasveld, langs het terras en vlak langs de picknicktafel. 'Ho

maar,' zegt Margreet. Ze leunt iets achterover en trekt aan de teugels, precies zoals ze van juf Roos geleerd heeft. Mik heeft geen zin om te stoppen en galoppeert zo hard hij kan. Margreet stuurt Mik naar de stal. Voor het hek van de rijbak blijft Mik briesend staan. Margreet springt op de grond en houdt de teugels stevig vast. Ze hijgt van de inspanning. 'Wildebras, ben je helemaal doorgedraaid.'

De anderen lopen naar haar toe. 'Jouw pony rent als een Arabisch paard,' zegt papa. Margreet schudt haar hoofd. 'Mik heeft vanmiddag zoveel spannende dingen meegemaakt,' zegt ze. 'De pony heeft alle bibbers eruit gerend.' Ze klopt Mik op zijn hals. 'Met Mik is het is hollen of stilstaan.'

'Als je op de wedstrijd de knop hollen indrukt, komt het vast wel goed,' zegt Bens vader.

Peer is op de grond gesprongen en rent blaffend rondjes. Ben zit te wiebelen van de pret, ziet Eva. Het oefenen in de tuin is veel en veel leuker dan winnen op manege Drieberg.

De wedstrijd is aanstaande zaterdag. Eva heeft er echt zin in.

15. De rijproef

Van de zenuwen is Eva al vroeg wakker. Ze heeft een naar gevoel. Opeens weet ze haar droom weer. In haar droom reed ze op haar pony. Funny bleef midden in de wedstrijd stil staan. Het lukte Eva niet haar pony vooruit te drijven. Oh, wat was dat naar... Als het maar niet in het echt gebeurt, denkt Eva.

Aan het ontbijt vertelt ze haar droom.

'Het zal vast goed gaan,' zegt mama. 'Jullie hebben zo goed geoefend in de tuin.'

'Een eerste wedstrijd is altijd spannend,' zegt papa. 'Maak je vooral niet te druk.'

'We moeten onze pony's nog poetsen,' zegt Carolien zenuwachtig. 'En naar manege Drieberg rijden.'

'De kleinste pony's starten vast vroeg,' zegt Eva. 'Dat was op het springconcours ook zo.'

'Je rijdt eerst de rijproef, die we op les hebben geoefend,' zegt Carolien.

'Oh nee.' Eva trekt bleek weg van de schrik. 'Die proef ben ik helemaal vergeten.'

'Dat geeft niet,' zegt Carolien. 'Juf Roos helpt ons vandaag en ze leest de rijproef voor.'

'Neemt ze de mascotte van de ponyclub mee?' vraagt Pieter.

'Bedoel je het witte knuffelkonijn?' vraagt Eva.

'Juf Roos vergeet nooit iets,' zegt mama. 'Gaan jullie nou maar snel de pony's poetsen.'

Eva, Carolien en Pieter halen de pony's uit de wei. Eva kamt de manen en staart van Funny extra goed.

Carolien heeft de manen van Sneeuw in een lange vlecht langs de ponyhals gevlochten. 'Wat mooi,' zegt Eva. 'Dat wil ik ook.'

Ze probeert de manen van Funny te vlechten. Het lukt haar niet. Haar handen trillen een beetje van de zenuwen en telkens schiet er een pluk haar los.

'Dit ziet er niet uit,' moppert Eva.

'Je moet eerst de plukken met elastiekjes vastzetten,' zegt Carolien. 'Dat had ik je toch gezegd.'

'Ja, dat ben ik helemaal vergeten.' Eva rommelt in de poetskist. Ze kan de elastiekjes niet vinden.

Mama komt kijken. 'Jullie moeten nu wel vertrekken,' zegt ze.

'Laat dat vlechten dan maar,' zegt Eva. 'Ik rij wel op mijn ragebol.'

Snel zadelt ze Funny op. Een minuutje later stapt het drietal de tuin uit. Mama en papa gaan op de fiets. Mama heeft Peer aan de riem. Pieter draaft voorop.

'Hup papa, trap eens wat harder,' zegt hij.

'Maak er nu geen racepartij van,' zegt papa. 'Straks is de benzinetank van Bontje leeg.'

'Sara en Tara hebben weer voordeel,' zegt Eva. 'Zij gaan met de trailer naar de wedstrijd. Hun pony's starten uitgerust, met een volle tank.'

Carolien zegt niets. Ze moet steeds aan Robin denken. Gisteren heeft hij met Lotus het parcours van Pieter in de tuin geoefend. Zijn pony was helemaal niet meer zo bang. Lotus schrikt alleen nog van harde of vreemde geluiden. Op de wedstrijd is vast harde muziek. Zou Lotus van de muziek schrikken…

'Hé hallo,' zegt Eva voor de derde keer tegen haar zus. 'Waar ben je?'

'Bij Robin,' antwoordt Carolien eerlijk. 'Ik hoop zo dat het goed gaat met zijn nieuwe pony.'

Op het wedstrijdterrein is het een gezellige boel. Aan een kant van de manege is het behendigheidsparcours uitgezet. Er is een doolhof gebouwd van strobalen, een houten brug en een waterbak. De hindernissen lijken op de bouwsels van Pieter. Aan de andere kant worden de rijproeven gereden. In een weiland staan de bordjes met letters in het gras. Juf Roos is er al. Ze helpt Sara en Tara met hun pony's.
Pieter rijdt naar haar toe. 'Heeft u de mascotte wel mee?'
Ze hoort het niet. Jip en Janneke, de pony's van de tweeling zijn heel druk en springerig. Juf Roos heeft haar handen vol om de twee rustig te krijgen. Op het oefenveld verderop stuift Robin op zijn pony in het rond. Lotus is niet gewend aan zoveel drukte. Robin laat zijn pony rondjes galopperen om hem rustig te krijgen.
'Dat gaat niet goed,' zegt Carolien bezorgd. 'Lotus steigert zelfs.'
'Het is niet eerlijk.' Eva kijkt kwaad. 'De tweeling heeft juf Roos ingepikt. Ze kan de andere Bosruiters niet eens helpen.'
Margreet draaft op Mik naar haar toe. 'Ik ben mijn zweepje verloren,' zegt ze zenuwachtig. 'Alles gaat mis.'
'Dat komt omdat juf Roos onze mascotte is vergeten,' zegt Pieter.
Margreet pakt haar mobiel uit haar zak. 'Heb je je mobiel wel uitgezet?' vraagt Carolien.

'Ik zet hem juist aan.' Margreet kijkt heel olijk rond. Ze toetst een nummer in.

'Goedemorgen,' zegt ze. 'Even een vraagje. Onze mascotte staat nog in de keuken. Ja, hij is wit. U kent hem wel. Dank u wel, meneer.' Margreet zet het toestel uit en stopt het terug in haar zak.
Eva, Carolien en Pieter kijken haar stomverbaasd aan.
'Heb je de boswachter gebeld?'
Margreet knikt. 'Ja, hij was toch al van plan om te komen kijken.'
'Dat je dat durft,' zegt Carolien.
Eva ligt dubbel van de lach. 'En?' vraagt ze.
'Meneer Dunsel neemt het witte konijn mee.'

Mama en papa lopen naar de kinderen toe. Ze hebben een papier met de starttijden van de rijproef.
'Eerst rijden Sara en Tara,' zegt mama.
'Intussen kunnen jullie even bij het behendigheidsparcours gaan kijken,' zegt papa.
'Zijn we dan wel op tijd terug voor de rijproef?' vraagt Eva.
'Als jullie nu gaan wel,' zegt mama. 'Wij letten wel op de pony's.'
Eva, Carolien, Margreet en Pieter rennen naar de andere kant van de manege.
'Rennen helpt tegen de zenuwen,' zegt Carolien.
'Zijn jullie de pony's vergeten?' klinkt het achter hen.
Eva kijkt om. Het zijn David en Stein, twee vrienden van Robin.
'Wat doen jullie hier?' vraagt ze verbaasd.

'Bij de Bosruiters rijden een paar leuke meisjes,' antwoordt David lachend.
Eva loopt verder. Wie zijn die paar leuke meisjes?
Een paar is twee. Dan zijn het vast Sara en Tara, denkt Eva.

De wedstrijd is begonnen. Juf Roos staat aan de zijkant van de rijbak. Ze leest de rijproef aan Tara voor.
Sara is al geweest.

'Ging het goed?' vraagt Carolien als Tara klaar is.

'Mijn pony kan beter,' antwoordt Tara.

Eva let niet op haar. Ze is zelf aan de beurt. Terwijl ze de ring inrijdt ziet ze een meneer met een groen petje op. Hij heeft iets wits in zijn hand. De mascotte is net op tijd! Eva rijdt zo netjes als ze maar kan.

'Keurig gedaan,' zegt juf Roos aan het einde van de proef. Eva geeft Funny klopjes op zijn hals Ze rijdt naar de anderen toe.

'Kan jouw pony zijn hals niet strekken?' vraagt Tara.

'Hoezo?'

'We zagen alleen maar een heleboel manen,' antwoordt Sara giechelend.

'De jury heeft de ponyhals vast niet gezien. Jij krijgt voor halsstrekken een nul,' zegt Tara. De tweeling lacht om hun eigen grapje.

Eva zegt niets terug. Ze voelt zich dom en onhandig want ze had een mooie vlecht in de manen van haar pony moeten maken.

Margreet, Carolien en Pieter rijden ook goed. Als laatste is Robin aan de beurt.

'Succes,' zegt Carolien. Robin heeft veel moeite om Lotus netjes te laten lopen. De pony kijkt steeds opzij. Toch lukt het hem aardig om de pony door te laten lopen.

Sara en Tara drinken een pakje sap langs de kant. Bij de laatste slokjes maken ze rare slurpgeluidjes. Lotus spitst zijn oren en zwaait met zijn staart. Eva weet dat die twee niet tegen hun verlies kunnen. Expres lawaai maken waardoor Lotus schrikt, is wel heel flauw. Tara laat het lege pakje op de grond vallen en Sara tilt haar voet op. Eva geeft Sara een duw zodat ze haar evenwicht verliest en in het gras valt.

'Jij bent net zo dom als je pony,' zegt Sara. 'Mijn witte broek is helemaal vies.'

Tara geeft Eva een duw.

'Jongedames,' zegt meneer Dunsel op zijn boswachtertoon. 'Zal ik even een bonnetje uitschrijven voor rommel in het gras. Van wie is dat sappakje?'

'Watte?' vraagt Sara.

'Je weet heel goed wat ik bedoel,' zegt meneer Dunsel.

Tara pakt snel het sappakje op.

Ondertussen rijdt Robin de ring uit. Hij heeft de proef goed gereden.

16. De behendigheidswedstrijd

Eva staat met de anderen bij het behendigheidsparcours te wachten. Juf Roos heeft het witte konijn op een paaltje gezet. Zo kan iedereen de mascotte zien. Verderop zitten Ben en zijn vader. Ben zit in zijn rolstoel en zijn vader zit ernaast, op een krukje. Als de bel van de jury rinkelt zwaait Ben enthousiast met zijn arm en zijn hoofd heen en weer. Er staan heel veel ouders te kijken. Eva ziet de ouders van Robin en van de tweeling en de moeder van Margreet staan. Er zijn ook twee jongens van haar school.
Carolien en Margreet hebben al gereden. Ze waren niet zo snel maar ze reden wel zonder fouten. Tara is net gestart. Ze galoppeert rond en neemt alle hindernissen met gemak. 'Ze gaat vast winnen,' zegt Stein. 'Tara is de beste,' roept David. Zie je nou wel, denkt Eva. De jongens komen voor de tweeling.
Tara rijdt in galop naar de houten brug toe.
'Rustig stappen,' roept juf Roos. Tara doet net of ze niets hoort en galoppeert door. Haar pony heeft het wel gehoord. Jip staat vlak voor de brug stil. Met een enorme boog vliegt Tara uit het zadel. Ze valt aan de andere kant van de brug op de grond. Tara krabbelt overeind, ze heeft zich gelukkig geen pijn gedaan. Jip galoppeert naar de uitgang. Juf Roos vangt de pony en klopt haar op de hals. 'Brave pony,' zegt ze zachtjes.
Tara huilt van boosheid. 'Jip stopte opeens,' zegt ze snikkend.

Juf Roos kijkt haar aan. 'Je pony is heel verstandig,' zegt ze streng. 'Het is gevaarlijk om in galop over de houten brug te rijden.'

Sara is aan de beurt. Ze steekt haar duim omhoog naar Stein en David.

'Succes,' roept Carolien.

'Denk eraan: rustig rijden,' zegt juf Roos.

Sara draaft naar het doolhof toe. Ze probeert Janneke tussen de strobalen door te drijven. Janneke vindt de smalle doorgang een beetje eng en gaat stappen.

'Schiet op,' roept Sara en geeft haar pony een flinke tik. Hop, Janneke springt over een strobaal heen.

'Janneke heeft springtalent,' zegt haar vader.

'Het is geen springparcours,' zegt juf Roos, 'Het is een behendigheidswedstrijd. Ze moet tussen de strobalen door rijden.'

Sara rijdt in galop door naar de volgende hindernis. Ze springt dwars over de houten brug. De jury rinkelt met de bel. Dat betekent dat ze gediskwalificeerd is net als haar zus en moet stoppen.

'Dit parcours is veel te makkelijk,' zegt Sara boos. 'Janneke heeft echt geen zin in deze kinderachtige hindernissen.'

Juf Roos neemt de tweeling apart. 'Met dit gedrag, maken jullie jezelf en de ponyclub belachelijk,' zegt ze. 'Iedereen moet zich aan de regels houden. Jullie ook. Waarom doen jullie zo onverantwoord?'

Sara en Tara kijken allebei omlaag naar hun glimmende rijlaarzen.

'We willen zo graag winnen,' zegt Sara eerlijk.

'Hebben jullie gewonnen?' vraagt juf Roos.

'We zijn allebei gediskwalificeerd,' antwoordt Sara.

'Dus?' Juf Roos kijkt de tweeling vragend aan.

'We zullen ons de volgende keer aan de regels houden,' zegt Sara.

'Dank u wel voor de hulp,' zegt Tara.

'Goed,' zegt juf Roos. 'Gaan jullie je pony's maar gauw verzorgen.' Ze draait zich om. Robin en Lotus zijn al gestart met het behendigheidsparcours. Lotus draaft met opgeheven staart rond. De jonge pony vindt het allemaal erg spannend. Robin klopt Lotus geruststellend op zijn hals. Bij iedere hindernis prijst hij zijn pony. Bij de waterbak laat hij Lotus met een lange teugel even ruiken. Vanuit stilstand neemt de pony een sprong over het water heen en belandt keurig aan de overkant.

'Mag dat wel?' vraagt Carolien.

'Robin heeft het knap gedaan,' antwoordt juf Roos. 'Het maakt niet uit of je een, twee of drie stappen door de waterbak maakt. Als je maar aan de overkant komt. Lotus heeft echt springtalent.'

'En Robin ook,' zegt Carolien. Ze is heel trots op hem.

17. Funny wint

Eindelijk is Eva aan de beurt. Ze draaft tot vlak voor de jury, staat stil en groet. De bel rinkelt en Eva rijdt naar de eerste hindernis. Funny heeft er zin in en galoppeert flink door. Bij het doolhof vermindert de pony vaart en draaft rustig tussen de baaltjes door. Funny racet alweer naar het volgende nummer. Eva kent de volgorde uit haar hoofd. Ze hoeft alleen maar te kijken naar de volgende hindernis. Funny begrijpt heel goed dat ze bij de hindernissen vaart moet minderen. Ze stapt zonder probleem over de houten brug. Fun galoppeert langs de wapperende vlaggen en over het plastic zeil. In rengalop steekt de pony het veld over. De manen wapperen in Eva's gezicht. Daarna galoppeert ze in volle vaart naar de waterbak. 'Ho, ho,' zegt Eva. Funny galoppeert door de waterbak en gaat in rengalop door de finish. Het publiek klapt luid. Eva hoort de jury omroepen. 'Eva met Funny van de Bosruiters is tot nu toe de snelste combinatie, zonder fouten. Slechts honderdtwintig seconden.' Eva beloont haar pony.
'Knap joh,' zegt Margreet
'Dat is een echte turbo,' zegt David.
'Je reed wel super snel,' zegt Stijn. De jongens blijven nog even bij haar staan.
Juf Roos en meneer Dunsel zwaaien vrolijk naar Eva. Eva voelt zich heel blij. Ze weet heus wel dat ze met haar Shetlander niet de wedstrijd kan winnen. Er rijden veel groter pony's mee en die galopperen

natuurlijk harder. Funny heeft wel heel goed haar best gedaan. Als laatste is Pieter. Hij is halverwege de volgorde van de hindernissen vergeten. Daardoor rijdt hij een extra rondje en dat kost tijd.

'Jammer,' zegt papa. 'Je hebt zo goed geoefend in de tuin.'

'Geeft niets,' zegt Pieter opgewekt. 'Het was net zo leuk en ik heb lekker meer gereden dan de anderen.'

Voor de prijsuitreiking rijden alle deelnemers twee aan twee over het grote veld. Eva rijdt naast Margreet. Robin rijdt tussen Carolien en Pieter in. Lotus is zo onrustig dat juf Roos het beter vindt als hij tussen zijn vriendjes loopt. Een jurylid laat de pony's naast elkaar halt houden. Het is een hele lange rij van pony's met ruiters. De meneer van de jury praat door de microfoon zodat iedereen het goed kan horen. Hij zegt dat alle ruiters goed gereden hebben. De jury heeft de punten van de rijproef en de punten van de behendigheidswedstrijd bij elkaar opgeteld.

'We beginnen bij de vijfde prijs.' Het publiek is doodstil. 'Robin met Lotus. De vierde prijs heeft Pieter met Bontje,'

'Gefeliciteerd,' zegt Carolien tegen de jongens.

De derde en de tweede prijs zijn voor ruiters van andere ponyclubs.

'En dan de eerste prijs,' zegt de meneer luid. Hij wacht even zodat iedereen met spanning luistert. 'Ponyclub de Bosruiters heeft wel heel goed gereden vandaag...'

Eva begrijpt het niet. Sara en Tara zijn gediskwalificeerd, dus zij kunnen het niet zijn. Heeft Carolien gewonnen of Margreet?

'De eerste prijs is voor Eva met Funny. Er klinkt een daverend applaus. Jullie krijgen een lintje en mogen een ererondje rijden. De wisselbeker is dit jaar voor Eva van de Bosruiters.'

Eva is totaal verrast. Dat had ze niet verwacht. Even denkt ze dat het een grapje is. De meneer loopt naar haar toe en geeft haar een hand. Een mevrouw geeft haar een grote zilveren beker. 'Kun je met een hand rijden?' vraagt ze.

'Ja, dank u wel,' antwoordt Eva. Ze heeft genoeg geoefend met Peer aan de riem. Funny krijgt en oranje lint aan zijn hoofdstel. Het is echt, ze heeft de eerste prijs.

'Gefeliciteerd,' klinkt het om haar heen. Eva staat helemaal versteld.

Zodra alle lintjes zijn uitgedeeld, stuurt ze haar pony naar voren. Ze galoppeert langs het publiek dat juicht en klapt. Eva ziet haar ouders zwaaien. 'Goed zo,' roept juf Roos. De boswachter staat naast haar en zwaait vrolijk met het konijn boven zijn hoofd. De andere pony's volgen Eva. Behalve Robin. Hij blijft met Lotus staan. Robin weet dat hij zijn pony nooit kan houden in galop. Lotus steigert en springt wild rond. Pieter rijdt gauw naar hem toe zodat Lotus weer kalmeert.

Na de ereronde stijgt Eva af en doet de singel een gaatje losser. Funny krijgt van Margreet een pony-koekje. Papa tilt Eva ter begroeting even op. Peer springt uitgelaten om haar heen.

'Gefeliciteerd, knapperd,' zegt mama en geeft haar een knuffel. 'Wat hebben jullie allemaal goed gereden!'

Iedereen bewondert de zilveren beker.

'Ik hoefde niets te doen,' zegt Eva bescheiden. 'Funny deed het gewoon goed. Zij heeft de eerste prijs gewonnen.'

Juf Roos en meneer Dunsel hebben ijsjes gehaald. Juf Roos deelt uit. 'Ponyclub de Bosruiters trakteert,' zegt ze vrolijk. 'Ik ben reuze trots op jullie allemaal.'

Sara en Tara komen er ook bij staan. Ze feliciteren Eva. 'Jouw pony liep als een raket,' zegt Sara.

'Nou dat klinkt leuker dan kroket,' zegt Eva lachend.

Een meneer met een fototoestel loopt naar Eva. 'Ik neem even een foto voor de krant,' zegt hij.

'Van wie?' vraagt Eva verbaasd.

'Een foto van het meisje dat de eerste prijs heeft gewonnen.'

'Maar dat ben ik.' Eva kan het nog haast niet geloven.

'Ja,' zegt de man lachend. 'Daarom neem ik van jou een foto.'

'Je moet de beker met twee handen omhoog houden,' zegt Tara.

'Een beetje opzij, anders staat je hoofd er niet op.' Sara doet het voor.

'We gaan allemaal op de foto,' zegt Eva. 'Alle Bosruiters en Funny.'

Sara en Tara komen meteen naast haar staan. Carolien, Robin, Pieter en Margreet gaan er ook bij staan. Pieter zwaait met het witte konijn.

Eva houdt met een hand de beker vast en slaat haar

andere arm om Funny heen. De fotograaf doet een paar stappen naar achter. 'Deze foto beslaat een halve pagina,' zegt hij.

18. De uitnodiging

Eva zit boven op haar kamer. Nog een paar weken, dan begint de zomervakantie. Ze krijgt nog een overhoring. Ze moet de plaatsnamen van de provincie Gelderland leren. Morgen heeft ze de overhoring.

Telkens kijkt ze naar buiten. Sneeuw, Bontje en Funny staan in de schaduw van een boom te dommelen. De pony's laten hun hoofden hangen en hebben ieder een achterbeen opgetrokken. Zo rusten ze uit. Alleen hun staarten zwiepen heen en weer tegen de vliegen. Shetlanders hebben lange manen en staarten dus dat is handig, denkt Eva. Pluk galoppeert door de bak. Het veulen zoekt altijd iets om mee te spelen. De ene keer rent het veulen achter een vlinder aan en een nadere keer laat hij een vogeltje schrikken.

Pony's die zich vervelen, gaan zelf spannende dingen verzinnen. Eva denkt weer aan de behendigheidswedstrijd. Dat was ook best spannend. Vanmorgen heeft ze de foto uit de krant mee naar school genomen. Alle ruiters staan er goed op en Funny kijkt heel lief met haar oortjes naar voren.

'Gefeliciteerd,' zei haar juf. De kinderen uit haar klas wilden de beker graag zien. Eva heeft geen zin om de zilveren beker mee naar school te nemen. Dat vindt ze veel te opschepperig. Bovendien is het de wisselbeker van de Bosruiters.

Ze buigt zich weer over de rode stippen in haar boek. Het lijken wel van die ronde vlooien die je op en neer kan flippen. Trouwens, de plaatsnamen springen in haar hoofd ook op en neer.

'Eva, ben je al klaar?' Carolien loopt haar kamer in. 'Wat kijk je zielig.'

'Ik snap er geen snars van,' zegt Eva zuchtend. 'Al die rotplaatsen.'

Met een ruk trekt haar zus de gordijnen dicht. 'Funny loopt niet weg,' zegt ze. 'Kijk, Arnhem ligt aan de Rijn en bij Apeldoorn is de Apenheul. Dat kun je best onthouden! In Zutphen wonen onze nichtjes. Zo moet je bij ieder moeilijke plaats iets leuks verzinnen. Tot zo. Ik ga even met Peer wandelen!' Carolien loopt de kamer weer uit.

Eva probeert het meteen. Ze verzint bij iedere plaats iets bijzonders. Het is echt een leuk plan!

Ze rijdt in gedachten een ponytocht. Ze maakt een bosrit over de Veluwe naar haar nichtjes in Zutphen. Van Apeldoorn galoppeert ze door het bos naar Arnhem. Daarna rijdt ze langs een rivier naar Doesburg.

Na vijf minuten kent ze de meeste plaatsen uit haar hoofd. Ze slaat de atlas met een klap dicht en gaat naar beneden. Mama zit op het terras en leest de krant. Ze kijkt op. 'Is je huiswerk af?'

'In de vakantie gaan we op de pony's een trektocht maken,' zegt Eva. 'Van Apeldoorn door de bossen naar Arnhem en langs de rivier via Doesburg naar Zutphen. Wat vind je ervan?'

'Weet je waar al die steden liggen?' vraagt mama.

'Ja, dat heb ik toch net geleerd.'

'Ik bedoel hoeveel kilometer ze uit elkaar liggen?'

'Alle steden liggen in Gelderland,' antwoordt Eva.

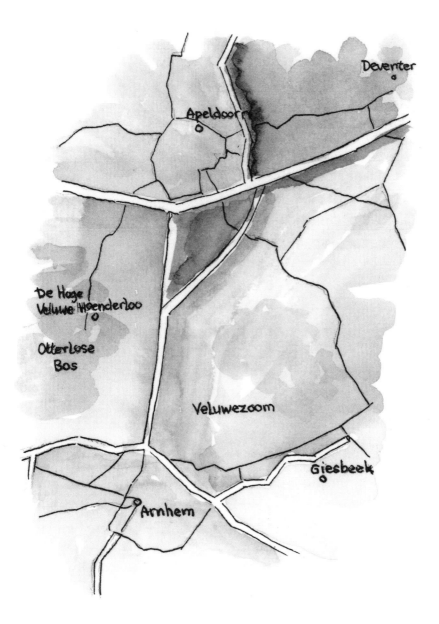

Mama knikt. 'De ponytocht is een leuk plan,' zegt ze.
'De route kunnen jullie in de vakantie uitstippelen.'
Eva heeft heel erg veel zin in de vakantie. Ze kan
haast niet meer wachten. Het is gewoon jammer om
met dit warme weer naar school te moeten.

'Zullen we op tijd eten, dan kunnen we vanavond naar het bos met de pony's?' vraagt ze.

Mama vouwt de krant dubbel en staat op. 'Ik zal meteen het eten opzetten dan kunnen we over een half uurtje eten.'

Carolien rent met Peer naar Eva toe. Ze heeft een brief in haar hand. 'We hebben post,' zegt ze. 'Kijk, er staat Eva, Carolien en Pieter op.'

'Maak eens open?' vraagt Eva nieuwsgierig.

Haar zus draait de enveloppe om. Er staat de Boshoeve. Zo heet de boerderij van juf Roos.

'Maak nou open!' roept Eva weer. Ze heeft het gevoel dat het een heel belangrijke brief is.

Carolien haalt een kaart uit de enveloppe. Het is een keurig gedrukte kaart.

'Het is een uitnodiging,' zegt ze. Eva ziet dat de vingers van Carolien en beetje trillen.

'Lees nou voor!'

'Van harte nodigen we jullie uit op onze bruiloft op zaterdag 20 juni.'

Eva roept: 'Juf Roos gaat trouwen. Dus het is waar!'

Carolien laat haar meelezen. Eva's ogen vliegen langs de letters. Het staat er echt. Ze trouwen in het gemeentehuis en in de kerk. Daarna is er een receptie. 'Roswita en Johannes Dunsel,' leest Eva hardop. 'Wauw, wat klinkt dat officieel.'

Ze gaat even zitten om bij te komen van het grote nieuws. Mama leest de kaart ook. 'Wat leuk,' zegt ze. 'Roos en Jan, ze passen echt bij elkaar.'

'Dat zei Margreet ook al,' zegt Eva.

'Margreet heeft veel fantasie,' zegt mama.

'Ze heeft ook al bedacht dat we op de bruiloft met

alle ruiters van de ponyclub gaan rijden. Dat heet toch escorte?'

Mama knikt. 'Ik weet zeker dat juf Roos met een koets wordt opgehaald van haar boerderij. Dan mogen jullie met de pony's achter de koets aanrijden naar het gemeentehuis.'

'Yes,' zegt Pieter. Hij komt met de telefoon aanlopen.

'Wat weet jij ervan?' vraagt Eva.

'Alles al, hier is Margreet.' Hij geeft het toestel aan Eva.

Eva houdt de telefoon een stukje van haar oor af. Margreet praat zo hard en opgewonden dat ze allemaal kunnen meeluisteren.

'Ik wist het wel, ik zei het toch,' horen ze Margreet zeggen. 'De boswachter is stapel op juf Roos. Weet je nog toen we ons in de koeienstal hebben verstopt. Toen bleef meneer Dunsel heel lang met juf Roos praten... Dat vond ik vet verdacht. En meneer Dunsel heeft niet zomaar paardrijles genomen. Hij gaat vast samen met juf Roos paardrijden.'

Eva hoeft niets te zeggen, Margreet blijft maar kletsen en kletsen.

19. Een avondrit op de ponywagen

Mama zet een pan macaroni op tafel. 'We wachten nog heel even op papa,' zegt ze. 'Hij zal zo wel komen.'

Eva, Carolien en Pieter praten over de bruiloft. 'Wat moeten we aantrekken?' vraagt Carolien.

'Op de receptie draag je feestelijke kleren,' antwoordt mama. 'En op de pony heb je paardrijkleren aan.'

Eva schudt van nee. 'Juf Roos trouwt niet elke dag. Mogen we ook feestkleren op de pony aan?'

'Met een jurk aan kan je niet paardrijden.'

'We kunnen toch nette zwarte jasjes dragen,' zegt Carolien.

Mama kijkt een beetje bedenkelijk. 'Het is vast een zonnige dag dan lijkt me een zwart jasje veel te warm. Bovendien hebben jullie geen zwarte jasjes.'

'Sara en Tara wel,' zegt Eva. 'Ik ga niet in een zwarte trui rijden als zij een jasje dragen.' Ze ziet het al weer helemaal voor zich. Sara en Tara rijden voorop en zien er het mooiste uit.

'Zullen we allemaal een groen T-shirt aantrekken,' stelt Carolien voor. 'Dan zien alle Bosruiters er hetzelfde uit.'

'Groen kleurt ook mooi bij het bos,' zegt Eva.

'De bruiloft is in het dorp,' zegt Pieter.

'Nou en. Juf Roos trouwt toch met een boswachter,' zegt Eva.

Pieter springt van zijn stoel. 'Als meneer Dunsel trouwt, is hij dan nog wel boswachter?'

'Hoezo?' vraagt Eva.

'Juf Roos is boerin, dus dan wordt meneer Dunsel natuurlijk boer.'

'Of juf Roos wordt boswachteres,' zegt Carolien giechelend.

Pieter begrijpt er niets meer van. Hij gaat een beetje moedeloos zitten. Met de boswachter is het ponyrijden in het bos extra leuk geworden. Maar één boswachter vindt hij wel genoeg.

Mama stelt hem gerust. 'Ik denk wel dat juf Roos en meneer Dunsel samen op de boerderij gaan wonen,' zegt ze. 'Juf Roos blijft gewoon ponyjuf en zorgt voor de boerderij en meneer Dunsel houdt zijn baan als boswachter.'

Papa is ongemerkt thuis gekomen. Hij heeft de laatste zinnen opgevangen.

'Heb ik wat gemist?' vraagt hij.

'We hebben een boerenbosbruiloft,' zegt Pieter.

Papa bekijkt de mooie uitnodiging. 'Geweldig,' zegt hij. 'Gefeliciteerd.'

'Daar past een groot cadeau bij!'

Mama neemt de kaart van hem over 'Hier staat iets met kleine lettertjes,' zegt ze. *'We zijn blij met een gift voor aanpassingen voor de rijbak voor minder valide ruiters.'*

'Wat is minder valide?' vraagt Pieter.

'Juf Roos wil op de ponyclub ook kinderen laten rijden zoals Ben,' vertelt mama. 'Kinderen die bijvoorbeeld niet zo goed hun armen of hun benen kunnen gebruiken. Paardrijden is voor alle kinderen een heel fijne sport. Als je in een rolstoel zit, is paardrijden extra fijn omdat je gebruik maakt van de benen van je paard.'

Pieter knikt heftig. 'Ben is helemaal gek op Bontje,' vertelt hij. 'Ben durft al te draven. Dat ging wel een beetje hard. Ben zakte voorover met zijn neus in Bontjes manen. Toen stond mijn pony meteen stil. Eigenlijk heeft Ben een handvat nodig om zich met zijn ene hand aan vast te houden.'

'Precies,' zegt papa. 'Soms zijn er aanpassingen nodig voor ruiters zoals Ben. Ik hoorde juf Roos praten over een soort liftje om kinderen in het zadel te tillen. Ze wil ook kinderen op haar eigen paard laten rijden.'

'Op haar paard, zit je heel hoog,' zegt Carolien. 'Ik moet op een omgekeerde emmer staan om mijn voet in de stijgbeugel te krijgen.'

Eva zit stil te luisteren. Ze vindt het lief van juf Roos dat ze ook kinderen zoals Ben wil leren paardrijden.

'Als meneer Dunsel haar helpt op de boerderij, kan juf Roos meer paardrijlessen geven,' zegt ze. 'Ik vind het een super plan van juf Roos.'

'Wie gaat er mee met een ritje op de ponywagen?' vraagt Pieter na het eten.

Eva en Carolien hebben daar wel zin in.

'Oké,' antwoordt Eva. 'Dan hoef ik Funny niet te poetsen.'

'We nemen Peer mee in de kar,' zegt Carolien.

Ze helpen Pieter met Bontje poetsen en zetten de pony voor de wagen.

Eva en Carolien lopen in de tuin naast de kar. Op de

weg klimmen ze op de bok. Bontje trekt het wagentje met gemak. Pieter zegt: 'Draf.' Meteen draaft de kleine pony aan. 'Hebben jullie ook zo'n zin in de ponytrektocht?' vraagt Eva.

'Ja leuk,' roept Pieter. 'Waar slapen we onderweg?'

'In de ponywagen,' zegt Eva. 'Papa maakt een dakje op de wagen en dan hebben we een huifkar.'

'Heb je dat al gevraagd?' Carolien kijkt haar zus lachend aan. Hun vader moppert vaak over al de bouwsels die hij voor de pony's moet maken. Hij heeft zelf de stal getimmerd en moet vaak de hekken repareren.

'Nog niet,' antwoordt Eva. 'Eerst haal ik een tien voor aardrijkskunde.'

Pieter fluit opgewekt. Een huifkar lijkt hem wel stoer. Peer snuift met zijn neus in de wind.

'Heb je er ook veel zin in?' vraagt Pieter aan het hondje. Hij krijgt als antwoord een lik in zijn nek.

'Ja, leuk, Peer gaat mee,' zegt Carolien. 'Dan hebben we meteen een waakhond.'

'Margreet wil ook vast mee,' zegt Eva.

Ze kijkt opzij naar haar zus. Eva weet zeker dat Carolien aan Robin denkt.

'Robin gaat ook mee,' zegt ze vastbesloten. 'Zijn moeder weet er al van.'

'Denk je dat hij dat leuk vindt?'

'Als jij meegaat wel,' antwoordt Eva.

'Dan wil ik ook een vriendje mee,' zegt Pieter. 'Ben kan in de wagen meerijden.'

Carolien knikt. 'Zijn vader vindt het vast geweldig. Hij bedenkt altijd leuke dingen voor zijn zoon.'

De weg loopt langs de boerderij van juf Roos. Pieter

laat Bontje stappen. Het huis ligt een stukje van de weg af.

'Is juf Roos thuis?' vraagt Pieter.

Eva tuurt in de verte. 'Haar auto staat voor de deur,' zegt ze. 'Dan is ze vast thuis.'

'Een boerin is altijd thuis,' zegt Carolien. 'Ze is vast achter bij de stal of op het land.' In de verte zien ze de rijbak liggen. Pieter laat Bontje stilstaan om goed te kunnen kijken. Juf Roos en meneer Dunsel rijden naast elkaar in de rijbak. Het paard van juf Roos en het zwarte paard van de boswachter lopen braaf naast elkaar.

'Dat is een leuke combinatie,' zegt Pieter wijs.

20. De bruiloft

Eva borstelt de manen van Funny. Eerst met een borstel en daarna met de manenkam, zodat alle haren uit de klit zijn. Ze pakt plukjes haar en doet om ieder plukje een elastiekje. Funny duwt haar snuit tegen Eva's arm.
'Nog even geduld,' zegt Eva. 'Vandaag is het feest en ik ga een feestpony van je maken.' Ze pakt drie plukken haar en maakt een vlecht. Telkens neemt ze een pluk manen erbij zodat de vlecht dik en stevig wordt. Bij de laatste pluk maakt ze de vlecht goed vast met twee extra elastiekjes.
'Wat heb je Funny mooi ingevlochten,' zegt Carolien. Eva kijkt trots naar Funny's kapsel. Ze geeft de pony een kusje op haar neus. Sneeuw ziet er ook heel feestelijk uit. Carolien heeft de manen met strikjes ingevlochten. Pieter heeft geen zin in extra werk. 'Bontje is een jongen,' zegt hij. 'Jongens lopen niet met vlechten. Dat staat niet.'

Mama en papa komen naar buiten. Papa in zijn nette pak en mama draagt een mooie jurk.
'We worden zo opgehaald,' zegt mama en aait over Funny's neus. 'Oh, wat mooi zeg.' Ze kijkt naar de gevlochten manen.
Opeens hapt Funny naar haar jurk. Eva geeft haar pony net op tijd een tik op haar neus.
'Sorry,' zegt ze geschrokken. 'Funny vindt je jurk ook zo mooi.'

'Geeft niets,' zegt mama, en ze doet een stapje achteruit.

Eva trekt haar joggingbroek en trui uit. Daaronder draagt ze haar schone paardrijbroek en een groen T-shirt. De kinderen stijgen op en rijden de tuin uit. Mama en papa worden opgehaald door Robins ouders. Robins vader zit met zijn vrouw op de bok en de Fjordenpony loopt voor de kar. Papa en mama stappen in de wagen.

Alle gasten gaan het bruidspaar met een rijtuig ophalen om naar het gemeentehuis en de kerk te rijden. De ruiters van de ponyclub rijden op hun pony's mee in de stoet.

Eva, Carolien en Pieter draven naast elkaar over het zandpad. Op zijn trouwdag heeft meneer Dunsel natuurlijk geen tijd om boswachter te zijn.

'Dit is de laatste keer dat we over het wandelpad rijden,' zegt Carolien.

'Dat vind ik ook,' zegt Eva. 'We gaan de boswachter niet meer plagen.' Haar stem klinkt een beetje spijtig.

Pieter geeft dit keer geen commentaar. Hij is niet van plan om te beloven dat hij zich aan de regels gaat houden. Stel dat er een ree opgejaagd wordt, dan gaat hij de hond heus wel achterna...

Op de weg voor de boerderij staan al een paar rijtuigen te wachten. In het voorste rijtuig zit de vader van Ben met zijn zoon op de bok. Voor de wagen staat een Fries paard. Daarachter herkent Eva de dierenarts Van Dijk met zijn vrouw en drie kinderen.

Ze zitten in een ponywagen met vier pony's ervoor.
De ruiters van de ponyclub mogen helemaal voor-
aan rijden. Tara en Sara staan al netjes te wachten.
Ze hebben hun pony's ingevlochten met groene
strikjes en rode roosjes.
'Wat chique,' zegt Eva vol bewondering.
'Funny ziet er ook heel mooi uit,' zegt de tweeling
tegelijk.
Margreet en haar moeder komen vanaf de andere
kant. Mik draagt een feestmuts. De pony ziet er vro-
lijk uit. Margreet stuurt haar pony naast Funny.
Pieter en Carolien gaan weer ieder aan een kant van
Lotus staan. De pony van Robin schraapt met zijn
hoeven over het asfalt.
'Rustig maar,' zegt Robin en klopt zijn pony op de
hals.
'Hoe gaat het met Karin?' vraagt Carolien.
'Goed,' antwoordt Robin. 'Mijn vader heeft haar ingeschreven voor de keuring. Het is volgende week
zaterdag al. Kun je dan?'
'Leuk,' zegt Carolien. 'Ik ga met je mee.'
'Kijk, juf Roos,' roept Pieter.
Hij zwaait opgewonden met twee handen. Juf Roos
zit in een prachtig witte jurk naast meneer Dunsel,
die een keurig streepjespak draagt, op de bok. Het
rijtuig wordt getrokken door haar eigen paard en het
grote zwarte paard.
'Lang leve het bruidspaar!' Klinkt het luid. Een paard
hinnikt opgewonden.
De stoet zet zich in beweging. Het bruidspaar rijdt
voorop, daarachter volgen de ruiters en daarachter
alle rijtuigen. Juf Roos geeft meneer Dunsel de teu-

gels. Ze draait zich stralend van blijdschap om naar de kinderen. 'Lang leve de Bosruiters,' roept ze en zwaait vrolijk naar de stoet achter haar.